그래도 우리는 빛난다

그래도 우리는 빛난다

이지연
김민정
김도빈
주정선

사람은 광원이 아닙니다. 언제나 빛날 수 있는 사람이라는 게 있을까요. 우리는 너무나 힘든 세상에서 살고 있으며, 너무나 가련한 존재입니다. 이 세상이라는게 참 척박해서, 우리는 심지어 자신이 내고 있는 빛을 자신이 모르기마저 합니다. 옆에 누군가가 너무 밝다거나, 자신의 가치를 폄하하는 무리가 있다거나 등의 다양한 사유로요.

그래도 우리는 빛난다, 라는 문장을 보셨을 때 어떤 이미지가 그려지셨는지 궁금합니다. 개인적으론, 모든 역경을 이겨내고 빛나는 극복의 이미지를 아마 가장 많이 떠올리지 않으셨을까 생각합니다. 엄청나게 극적인 이미지까지를 생각하며 우리가 이 글을 쓴 것은 아닙니다. 이것은, 가상의 인물을 주인공으로 세웠음에도 실제 누군가의 이야기가 될 수도 있을 만큼 소소하고 작은 이야기들입니다. 어려움을 직면하고, 구겨지고 상처받은 사람들이 그래도 살아가는 모습을 그립니다. 그것을 어떻게 빛나지 않는다 말할 수 있을까요. 위대하고 찬란하다 까지는 말하지 못해도 숭고하며 아름답다고는 말할 수 있을 것입니다.

지금 당장 빛나지 않아도, 항상 빛나는 것은 아니어도, 그래도 우리는 빛나는 사람들입니다. 당장 당신이 빛나기 좋은 밤이 찾아오지 않았다 해도, 기억해주셨으면 합니다. 이 책을 덮고, 다른 일을 하며 시간을 보내고 세월이 지나는 통에 책의 내용들이 점차 기억 속에서 사라진다 한들 이 책의 제목만큼은 꼭 기억해주셨으면 하는 바람입니다. 이만 줄입니다.

- 공동저자 中 김도빈

차 례

어쩌면 나는
흔들리는 꽃이었을까

이지연

이지연　　사랑 이야기를 좋아해요. 특히 로맨틱 코미디를 좋아합니다. 두 주인공
이 우여곡절 끝에 진정한 사랑을 만들어내는 이야기에 마음이 두근두근
합니다. 그래서 꽉 닫힌 해피 엔딩을 좋아해요.
저는 운명이라는 게 존재한다고 믿습니다. 그래서 마음이 지치고 힘들
때면, 밤하늘에 떠 있는 달을 보곤 해요. 하염없이 달을 바라보며 언젠가
운명처럼 저에게 다가올 선물 같은 나날을 기다립니다. 당신에게도 운명
처럼 행복한 날이 찾아오길, 온 마음으로 바랍니다.

"민혁 대리님, 또 오셨네요!"

후배 연구원이 발랄하게 떠드는 소리에 자리에서 서류를 보던 나는 눈을 질끈 감았다. 오늘만 벌써 네 번째였다. 최민혁의 발걸음은 언제나 성큼성큼 나를 향해 다가왔다. 또 무슨 시답잖은 피드백을 하려고 굳이 연구소까지 온 걸까.

"서 주임님, 샘플 보니까 3호 발색이 조금 약한 것 같아서요."

최민혁은 자신의 손등에 발려진 립스틱을 보여줬다. 나는 책상을 뒤적거려 이번에 샘플 제작 중인 립스틱의 기획서를 잠깐 넘겨보고는 고개를 끄덕였다. 그나저나 이런 건 전화나 사내 메신저로 얘기해도 되는 거 아닌가.

"3호는 발색을 다시 체크해 볼게요. 그나저나 메신저로 얘기해 주셨어도 됐을 텐데요. 매번 번거로우실 것 같은데."

최민혁이 있는 사무실은 4층이었고, 내가 있는 연구소는 10층이었다. 인제 그만 좀 오라는 말을 에둘러 했지만, 최민혁은 그저 미소 지으며 꾸벅 고개를 숙이더니 연구소를 나갔다. 에효효 한숨을 내쉬는데 후배 연구원이 의자를 쓱 밀어 끌며 내게 다가와 최민혁이 날 좋아하는 것 같다는 헛소리를 했다. 모르는 척, 못 들은 척하며 일을 하고 있으니, 후배가 입맛을 다시며 의자를 끌어 자신의 자리로 미끄러지듯 넘어갔다.

최민혁을 처음 만난 건 몇 달 전 상품 기획팀장이 공채로 뽑힌 신규 직원들을 연구소에 소개한다며 데려온 날이었다. 그때도 최민혁은 나를 빤히 바라보며 자기소개를 했었다. 마치 나에게 자신을 소개하듯 최민혁은 그렇게 연구원들에게 인사를 했다. 나를 빤히 보는 그 눈이 마치 내 속을 다 꿰뚫는 것 같다는 생각에 불편해져 고개를 꾸벅 숙이며 시선을 피하는 것을 선택했지만.

하필 최민혁이 이번에 기획한 립스틱의 샘플 제작을 내가 맡게 되며 최민혁은 하루에도 몇 번씩 연구소에 찾아와 나를 불편하게 했다. 연구소 사람들은 이미 최민혁이 나에게 호감이 있다는 걸 확신하는 것 같았다. 그게 더 불편했다. 그래서 어지간하면 사소한 것들은 메일이나 메신저로 의견을 전달하며 최대한 직접적인 대면을 피하려고 했지만, 최민혁은 의견을 공유하거나 피드백이 필요한 사항이 있으면 언제나 굳이 10층 연구소까지 올라와 나를 빤히 보며 말을 이어가곤 했다. 보통 상품 기획자들과 연구원들의 업무적인 미팅이 잦긴 하지만 최민혁의 연구소 방문은 평균 이상이었다. 이러니 연구소 사람들도, 상품 기획팀 사람들도 우리 둘을 다른 눈으로 볼 수밖에.

실험실로 들어와 문제가 되었던 3호의 발색을 다시 정리하며 한숨을 내쉬었다. 최민혁의 눈에 내 얼굴만 비치는 게 너무 불편했다. 내가 자신을 보는 것 같지 않으니, 최민혁은 굳이 긴 다리를 접어 쭈그리고 앉아 나와 소통했다. 애써 거리를 벌려 놓으면 최민혁은 어느새 성큼성큼 다가와 그 거리를 좁혀 놨다. 처음엔 열정적이라고 좋게 생각하던 연구소 사람들은 슬슬 최민혁과 나를 번갈아 보며 음흉하게 웃기 시작했고, 어느 순간부터 최민혁의 열정은 새 제품이 아닌 나를 향해 있었다. 당분간 최민혁이 날 찾아올 이유를 만들지 않기 위해 다른 호수들까지 꼼꼼하게 점검한 후 새로 만든 3호의 샘플 통을 들고 실험실에서 나왔다.

마침 4층에 내려가야 할 일이 있는 후배가 서류를 정리하고 있었다. 나는 슬쩍 다가가 후배에게 이번에 리뉴얼이 잡힌 기초 라인이라는, 굳이 붙이지 않아도 될 변명거리를 덧붙이며 샘플 통을 최민혁에게 전달해달라 부탁하자 후배는 선뜻 고개를 끄덕였다.

살짝 미소 지으며 자리로 돌아온 나는 바로 메일 수신인에 최민혁을 넣고는 최대한 꼼꼼하고 길게 메일을 쓰기 시작했다. 그리고 마지막에는 다른 제품 리뉴얼 건으로 오늘은 실험실에서 정신없이 업무를 보게 될 것 같으니 자잘하게 수정이나 보완이 필요한 사항은 메일로 회신을 달라는 말을 덧붙이고 전송 버튼을 눌렀다. 우리 제발 어지간하면 최소한으로 봅시다, 최 대리님……

품질팀에 있는 입사 동기가 같이 점심을 먹자며 카톡을 보내왔기에 병원을 가야 한다며 내일로 미루자는 답장을 보냈다. 동료들은 내 병원 방문을 신경성 위염으로 알고 있었다. 사실 신경정신과 진료인데. 집 근처에는 괜찮은 병원이 없어 일부러 회사에서 가까운 곳으로 골랐다. 회사에서는 가깝지만, 동료들이 자주 가지 않는 길목에 있는 병원으로.

점심시간의 병원은 언제나 사람이 많았다. 벌써 이 병원에 다닌 지도 3년째였다. 익숙한 상담에 의사 선생님이 다정한 말투로 내 안부를 물었고, 언제나 그랬듯 나는 미소를 지으며 고개를 저었다.

"요즈음 업무가 좀 늘어서 그런지 조금만 스트레스를 받아도 비상약을 찾게 되네요."

잠시 내 안색을 살피던 의사 선생님은 내게 이제는 소개팅을 더 이상 하지 않는지를 물었다. 그동안 주변에서 주선해 주는 소개팅에 응했던 이유는 명확했다. 새로운 사람을 만나면 과거 따윈 다 잊고 잘 살 수 있지 않을까 싶어서. 그런데 그게 아니었다. 그래서 나는 고개를 끄덕였다.

"네. 안 해요. 얼마 전에도 이모 등쌀에 떠밀려 억지로 했는데 식사를 하다가 상대방이 전 남친이랑 똑같은 습관으로 밥을 먹는 걸 보고 갑자기 기분이 안 좋아지더라고요. 나름대로 대화도 잘 통하고 괜찮은 사람이었거든요. 그날 밤엔 속이 울렁거려서 잠도 제대로 못 잤어요. 애프터도 거절했고요."

오래 다닌 병원이라 그런지 의사 선생님과는 어느 정도의 라포가 형성되어 있었다. 그래서 과거의 내 망한 연애사를 의사 선생님은 잘 알고 있었다. 모든 연애가 전 남친들의 좋지 않은 행실로 끝이 났던 것들. 그리고 친구를 통해 알게 된 전 남친의 바람으로 말다툼하던 도중 '네가 이렇게 사람 숨 막히게 하니까 여태 그런 남자들만 만난 거야.' 라며 소리치던 전 남친의 막말이 마음에 꽂혀 연애에 대한 트라우마로 이어졌던 사건까지. 그래서 나는 내 잘못도 아닌 일로 마음의 문을 닫는 것을 택했다.

의사 선생님이 미소를 지으며 우울증 요인이 회사 스트레스와 이전 연애들에 대한 트라우마로 확실하기 때문에 피할 수 있는 상황은 최대한 피하는 게 좋겠다는 조언을 했다. 이 와중에 최민혁에 대해 이야기할 수 없었다. 언제나 그랬다. 내가 느끼는 모든 부정적인 감정을 털어놓겠다고 다짐하며 병원에 가도 차마 말하지 못하는 이야기들이 있었는데, 이번엔 최민혁에 대한 이야기가 그랬다. 날이 점점 쌀쌀해지고 있었다. 약간은 흐린 듯한 바람 냄새를 맡으며 나는 옷깃을 여미고 길을 걸었다.

한동안 귀찮을 정도로 연구소 출근 도장을 찍던 최민혁에게서 드디어 다섯 색상의 립스틱 샘플에 대한 컨펌을 받아냈다. 하지만 이게 끝은 아니었다. 판매용 제품을 생산하기 전 시제품을 만들어야 하고, 수정 사항을 끝없이 확인해야 해서 어쩔 수 없는 대면 미팅이 늘어났다.

"잠깐 손등 좀 내밀어볼래요?"

최민혁이 2호 시제품을 들고는 멋쩍게 웃었다 의아한 표정으로 바라보자 최민혁이 주절주절 말을 이었다.

"우리 팀원들은 다 발라봤는데 피부톤이 제각각이라."

아, 네. 나는 대답하며 얼결에 손을 내밀었다. 덥석 내 손을 잡은 최민혁은 살짝 내 손등에 립스틱을 바르고는 내 손을 잡은 채 발색을 확인하더니, 엄지손가락으로 살짝 문질렀다. 손등에 발린 립스틱이 번지는 느낌에 괜히 심장이 요동치듯 울렁거렸다. 불편한 감각이 구체적으로 어떤 느낌인지 알 수 없었다. 굳이 내 손이 아니어도 되는 걸 나도 알고 최민혁도 알았기 때문에. 잡은 손이 뜨거웠다.

"코랄 톤이 잘 어울리시네요."

최민혁은 내 손등이 아닌 입술을 보며 중얼거렸다. 사실 제일 정확한 건 입술에 발라봐야 아는 건데. 굳이 나까지 발라 볼 필요는 없었다. 조금은 붉어진 것 같은 얼굴을 숨기기 위해 나는 재빨리 화장 솜에 리무버를 묻혀 최민혁에게 건넸다. 이미 최민혁의 손등은 다양한 색상의 립스틱이 한가득 발려 있었다. 내 속을 눈치챘는지 최민혁은 잠시 무표정한 낯으로 내 눈을 바라보더니 잡은 손을 풀고는 화장 솜을 받아 손등을 닦아냈다. 그 모습을 보고 있으려니 괜히 얼굴이 화끈거려 티 나지 않게 한숨을 흘리고는 내 손등도 닦아냈다. 급하게 닦아내느라 미처 지워지지 않은 립스틱의 흔적이 손등에 남아 꽃을 피우듯 물들어 있었다.

사람 좋아 보이는 얼굴로 끊임없이 의견을 제시하는 최민혁은 협의 과정에서 자신의 의견에 확신이 있으면 끝까지 밀어붙이는 스타일이었다. 차라리 그게 편했다. 나도 립 제품을 처음 만들어보는 것이 아니었고, 최민혁의 의견은 대체로 타당했으니. 어설픈 기획자를 만나면 시제품까지 나온 상황에 이것저것 고쳐내는 경우가 많아 그것도 참 피

곤한 일인데, 시제품도 큰 탈 없이 컨펌이 났다. 일머리 하나는 참 좋은 사람인 것 같았다. 그것과는 별개로 자꾸만 내 눈을 보며 말하는 건 여전히 불편한 일이었지만. 그럴 때마다 나는 책상 밑으로 두 손을 내려 립스틱이 아직 다 지워지지 않은 손등을 습관처럼 문질렀다.

오랜만에 품질팀 동기와 점심을 먹고, 커피를 마시는데 동기가 웃는 얼굴로 나와 최민혁에 관한 얘기를 했다. 이미 4층 사람들은 다 알고 있는 분위기라며. 험악한 표정을 짓자, 동기는 사실무근인 소문이라는 걸 잘 안다며 손사래를 치더니 흘긋 내 눈치를 봤다. 쓴웃음을 지으며 아메리카노를 마시는데 기분 탓인지 오늘따라 커피가 유난히 썼다. 라떼를 마실 걸 후회하며 컵을 테이블 위에 내려놓자, 동기가 애써 웃으며 업무 얘기로 화제를 전환했다. 그 와중에도 내 손을 잡던 뜨겁고 큰 손과 손등을 살짝 문지르던 느낌이 떠올라 마음이 어지러웠다.

정식으로 제품이 출시되기 전까지 연구소는 할 일이 많다. 품질팀에 넘겨줘야 할 서류도 정리해야 하고, 그 와중에 다른 제품들까지 봐야 했으니.

이래저래 최민혁에 대한 불편한 마음을 안고 일을 하던 와중 최민혁과 함께 만든 립스틱이 1차 제작 물량을 단기간에 다 팔아 치웠다는 어마어마한 소식이 들려왔다. 물론 그 소식을 전한 사람은 최민혁이었다. 굳이 또 10층 연구소까지 찾아와 기쁜 소식을 전했다. 내가 제작에 참여한 제품이 잘 팔리는 건 언제 들어도 기분 좋은 소식이지만 그 소식을 전하러 온 사람이 최민혁인 건 굉장히 불편한 일이었다.

최민혁이 내 옆에 앉은 연구소장에게 자기 팀장의 제안을 대신 전했다. 내용은 상품 기획팀과 연구소와의 공동 회식이었다. 연구소장은 언제든 가능하다며 흐흐 웃고는 나를 슬쩍 바라봤다. 이 와중에 후배 연구원들도 눈을 초롱초롱 빛내며 나를 바라봤다. 대체 왜 다들 나를 보는 거야. 머리가 아팠다. 최민혁이 나가면 비상약을 하나 먹어야지 생각하며 그렇게 두 부서의 합동 회식은 내일 저녁으로 정해졌다.

병원에서 술은 너무 많이 먹지 말라고 했는데, 좋은 소식으로 자축하는 회식인 데다 나에게 술을 권하는 사람들이 많아서 어쩔 수 없이 생각보다 더 많은 술을 마시게 됐다. 술기운을 털어내기 위해 잠시 밖으로 나와 앞에 있는 벤치에 앉아 차가워진 손을 두 뺨에 가져다 대는데, 갑자기 시야에 작은 병 하나가 보였다. 고개를 들어보니 최민혁이 숙취해소제를 흔들며 미소를 지었다.

"술이 약하신가봐요."

자연스럽게 내 옆에 앉은 최민혁이 말을 걸어왔다. 어색하게 눈인사하며 숙취해소제를 받으려고 하자 최민혁은 뚜껑을 따서 내게 건넸다.

"위염 약을 먹고 있어서 술을 많이 먹으면 안 됐는데 오늘따라 술을 권하시는 분들이 많네요."

"서 주임님이 고생 많이 하셨잖아요. 그래서 다들 그러는 거겠죠. 위염이 있으신 줄 알았으면 제가 좀 도와드렸을 텐데."

아, 네. 그게 내 대답이었다. 그러고는 한동안 침묵이었다. 나는 숙취해소제를 꿀꺽꿀꺽 마시고는 한숨을 흘렸다. 눈앞에는 작은 꽃밭이 있었는데, 할 말도 없고 그럴 의지도 없었던 나는 꽃만 유심히 바라봤다. 나를 보는 것 같던 시선이 이내 내 시선을 따라 꽃밭으로 향했다.

"제가 서 주임님한테 호감 있는 거 다른 사람들은 다 알던데."

한참을 나를 따라 꽃밭을 보던 최민혁이 툭 내뱉은 말에 나는 뭐라 대답해야 할지 몰라 한참을 가만히 있다가 모르는 척하는 것을 택했다.

"그런가요? 저는 몰랐어요."

"주임님은 아시잖아요. 제가 주임님한테 호감 있는 거."

"저는 최 대리님이 제게 호감이 있으신지 전혀 몰랐어요."

모르쇠로 일관하는 나를 잠깐 바라보던 최민혁이 헛웃음을 흘렸다. 나는 여전히 꽃밭을 바라보고 있었다. 정확히는 꽃밭 안쪽에 있는 유독 작은 꽃을. 동료들의 말대로 최민혁은 남자로서 매력 있고 능력도 좋은 사람이었다. 호감이 생기지 않을 수 없었다. 하지만 이런 사람도 언제 돌변해 내게 상처를 줄지 모르는 일이지. 이런 마음조차 내게는 전혀 도움이 되지 않을 것이다. 나는 여전히 꽃밭 사이에 숨겨진 작은 꽃을 보며 중얼거렸다.

"제가요. 연애사가 그렇게 평탄하지는 않았거든요. 잠수랑 바람은 기본으로 겪어봤고, 술, 도박에 미친 남자도 만나봤고요. 빚도 갚아줘 봤어요. 전 남친이 저더러 그러더라고요. 이게 다 저 때문이라고."

사실 취기만 올라왔지, 완전히 취한 것도 아니었다. 하지만 술을 핑

계로 누구에게든 말하고 싶었다. 그런 일을 겪어서, 그래서 내가 너무 아팠다고, 지금도 너무 아프다고. 그렇게 말하고 싶었던 것 같다. 그래서 나는 술기운 반 충동 반으로 쓰레기 같던 과거 연애 경험을 별일 아닌 것 마냥 털어놨다. 별로 즐겁지도 않은 이야기에 최민혁은 무표정해진 얼굴로 가만히 내 얘기를 듣고 있었다.

"물론 세상 남자가 다 그렇진 않겠죠. 그리고 최 대리님이 좋은 사람인 거 저도 알아요. 그런데 자꾸만 마음이 불편한 건 어쩔 수가 없는 것 같아요. 죄송합니다."

다 비운 숙취해소제 병을 만지작거리며 고개를 푹 숙이고는 작게 중얼거렸다. 우리 두 사람 사이로 차가운 바람이 휘익 지나갔다. 가만히 앉아있던 최민혁은 작게 웃었다.

"뭐라 할 말이 없는 깔끔한 거절이네요. 일 처리도 깔끔하신 분이라 그런가."

고개를 들어 옆에 앉은 최민혁을 바라봤다. 웃는 낯이지만 기분이 썩 좋아서 웃는 웃음은 아니었다.

"솔직히 말씀드리면, 과거에 그런 사람들을 만났다고 저까지 밀어내는 주임님이 백 퍼센트 이해된다고 말하진 못하겠네요. 원망스럽기도 하고요. 그런데 어떤 마음으로 거절하시는 지 이제서야 이해가 조금 될 것 같아요."

최민혁은 여전히 웃는 것도 아니고 무표정한 것도 아닌 낯으로 말을 이었다.

"그래서 제 마음을 강요할 생각은 없어요. 주임님 말대로 세상에 다 그런 남자만 있는 것도 아니고, 저는 절대 그럴 생각도 없고요. 그래도 이렇게 마음을 접고 싶지는 않아서. 제가 조금 더 조심하겠습니다."

뭐라 대꾸할 새도 없이 최민혁은 내 손에 들린 병을 살짝 잡아 들고는 술집으로 들어갔다. 그렇게 걸어가는 뒷모습도 성큼성큼 반듯한 걸음걸이였다. 잠깐 한숨을 쉬고 다시 꽃밭으로 시선을 돌렸다. 여전히 꽃밭 한 가운데에 피어난 작은 꽃이 가을바람에 파들파들 떨며 휘날리고 있었다.

그날 이후로 최민혁은 정말 필요한 일이 아니면 나와 대면하는 빈도를 줄였다. 그러자 사람들도 이제는 나와 최민혁의 사이를 생각하지 않는 듯했다. 그러기엔 각자의 업무가 참 많았으므로. 다행인 일이었다.

요 며칠 계속 야근을 했더니 아침부터 피로가 몰려왔다. 출근해 자리에 가방을 두고 컴퓨터를 켜자마자 1층 카페로 내려와 아이스 아메리카노를 주문했다.

"라떼 한 잔이랑 캐모마일 티 한 잔이요. 둘 다 뜨거운 걸로 주세요."

갑자기 나타난 최민혁은 내 손에 들린 카드를 살짝 밀어내며 자신의 카드를 내밀었다. 직원은 눈치껏 내가 주문한 아이스 아메리카노를 포스기에서 지우고는 라떼와 캐모마일 티를 찍었다. 계산까지 끝나자, 최민혁은 나에게 위염 환자가 차가운 커피를 마시면 어떡하냐 말하고는 인상을 찡그리며 웃었다.

잠시 후 주문한 음료가 나오자, 내 손에 자연스럽게 캐모마일 티를 들려줬다. 뜨거우니 지금 마시지는 말라는 덧붙임과 함께. 나는 얼떨떨한 표정으로 엘리베이터를 향해 걷는 최민혁의 뒷모습과 내 손에 들린 뜨거운 캐모마일 티를 번갈아 바라봤다.

최민혁은 내가 거절을 한 날 이후로 가끔 이렇게 소소한 배려를 베풀었다. 부담을 느끼기엔 애매한, 그런데 묘하게 신경은 쓰이는. 딱 그 정도의 거리였다.

뜨거운 게 잠깐 스쳤던 최민혁의 손인지, 지금 들고 있는 캐모마일 티인지 분간이 되지 않아 저 멀리서 엘리베이터를 기다리는 최민혁의 옆모습을 멍하니 바라봤다. 이제 손등엔 그날의 흔적이 깨끗하게 사라졌는데도 여전히 손등이 간지러운 것 같았다.

한동안 바빴던 품질팀 동기가 오랜만에 함께 점심을 먹자는 제안을 해서 동기가 그렇게도 먹고 싶어 했던 칼국수를 먹으러 갔다. 얼큰한 칼국수를 주문하는 나를 보며 동기가 고개를 갸웃했다. 너 위염 환자 아니냐며. 어색한 표정으로 지금은 괜찮다고 말하니 동기는 고개를 끄덕였다. 점심을 먹은 뒤 카페에 와서 자연스럽게 아이스 아메리카노를 주문하려던 나는 문득 얼마 전 최민혁이 내 손에 들려줬던 캐모마일 티를 떠올렸다. 괜히 마음이 울렁거렸다.

엘리베이터에서 동기와 헤어지고 연구소로 돌아온 나는 점심 약을 먹기 위해 약 봉지를 하나 꺼냈다가 문득 텀블러에 담아 놨던 물을 다 마셨다는 걸 깨닫고는 자리에서 일어났다. 팀원들이 내 자리를 본다 한들 약 봉지가 단순한 위염 약이라고 생각할 것이다.

　미지근한 물을 받아 나오던 나는 그 자리에서 잠시 멈칫 서고 말았다. 나에게 볼 일이 있었는지 내 자리에 있는 작은 의자에 앉아있던 최민혁이 주변을 살짝 둘러보더니 책상 위에 있던 약 봉지를 슬쩍 서류 밑으로 숨기고 있었다. 그러다 나와 눈이 마주쳤다. 약 봉지에 무슨 약이 들어있는지 다 쓰여 있는데. 그걸 알았다는 걸까. 갑자기 이유 모를 부끄러움이 밀려왔다. 품질팀 동기가 알았으면 이런 부끄러움은 없었을 것이다. 그런데 저 약이 무슨 약인지를 알게 된 사람이 최민혁이라는 것에서 이상하게 창피하고 수치스러운 감정이 밀려왔다. 나는 성큼성큼 내 자리로 돌아와 가빠진 숨을 속으로 삼키며 최민혁에게 말했다.

　"잠깐 옥상에서 얘기 좀 하시죠."

　건물 옥상에는 넓은 정원이 있었다. 굳이 구석 자리까지 찾아가서 왜 약 봉지를 서류 밑으로 숨겼냐 따지자, 최민혁은 대답 없이 물끄러미 내 눈을 바라봤다.

　"저게 위염 약이 아니라고 생각하신 거죠? 언제부터 아신 거예요?"

　실수를 했다며 사과를 하는 목소리를 들으며 큰 숨을 털 듯 내뱉은 나는 언제부터 알았냐고 조용히 물었다.

　"며칠 안 됐어요. 일부러 찾아본 건 아니고, 지인이 이 근처에 왔다고 하길래 지인이 자리 잡고 앉았다는 카페에 가서 얘기를 나누다가 창밖으로 약 봉투를 들고 나오는 주임님을 봤고. 그 건물에 있는 병원은 하나뿐이라."

그렇게 대답하는 표정은 무덤덤했다. 왜 이런 걸 설명해야 하는지 모르겠다는 표정이었다. 그게 더 창피했다.

"그래서 저에게 그렇게 잘 해주신 거예요?"

"화가 난 건 알겠는데, 남의 마음까지 매도하진 않는 게 좋겠는데요."

최민혁이 내 대답에 화가 난 듯 뇌까리며 대답했다. 뭐라 해야 할 말을 잊은 채 나보다 한참은 큰 최민혁을 올려다봤다. 최민혁은 잠시 나를 내려다보더니 단호하게 물었다.

"주임님은, 아파서 치료를 받는 게 창피합니까?"

나는 여전히 할 말을 잊은 채 최민혁의 얼굴을 멍하니 바라봤다.

"내가 약 봉지를 숨긴 건, 그래요. 다른 사람들은 당연히 위염 약이라고 생각하겠지만 나는 무슨 약인지 아니까. 그리고 동료들에게 얘기하고 싶지 않은 것 같아서 섣부른 배려심에 실수를 했어요. 그건 미안하게 생각하는데."

여전히 기분이 안 좋은 걸 티라도 내듯 최민혁은 말을 이었다.

"마음도 결국엔 근육이라고 하죠. 근육이 다쳐서 뛸 수 없는 사람에게 지금 당장 뛰라고 하는 건 폭력이라는 말을 하고 싶은 겁니다. 내가 그동안 뛸 수 없는 사람에게 당장 같이 뛰자고 말한 것 같아서 내내 미안했어요. 그런데요, 주임님. 더 나은 삶을 살고 싶어서 치료를 받는 것도 용기예요. 주임님은 용기를 낸 대단한 사람이고요. 그걸 왜 부끄러워하는지 나는 도저히 이해가 되질 않네. 약 봉지를 숨긴 건 몇 번이고 사과할 수 있는데, 주임님이 어떤 병원에 다니고 있는지 알았다고 해서 내 마음마저 동정심으로 왜곡당하는 건 모욕적으로 느껴지네요. 내가 주임님을 좋아한다고 내 감정까지 주임님이 판단해서 재단할 자격은 없는 거예요."

그 말에 울컥하고 말았다. 그래서 되물었다. 대체 왜 나에게 관심을 갖는 거냐고. 최민혁은 잠시 나를 바라봤다. 정확히는 내 눈을. 최민혁은 중얼거리듯 말했다.

"나도 그런 눈을 하며 살았던 적이 있으니까. 텅 비어서 아무것도 보이지 않는 생기 없는 눈을 가져본 적이 있으니까. 속으로 다 쌓으면서도 겉으론 괜찮은 척 웃으며 살아봤으니까."

최민혁은 그렇게 내가 뭐라 되물을 기회조차 주지 않은 채 자기 말만 쏟아붓고는 뒤돌아서 성큼성큼 정원을 빠져나갔다.

퇴근 후 만원 지하철에 서서 이리저리 흔들리는 와중에도 최민혁의 말을 떠올렸다. 화를 내는 것 같았지만 결국엔 나에 대한 걱정이었다. 문득 창밖으로 한강이 보였다. 바람에 이리저리 물결을 흔들어대는 강물을 보며 나는 이전 회식 때 꽃밭에서 봤던 작은 꽃을 떠올렸다. 가을의 찬 바람에 이리저리 휘날리면서도 꽃잎 한 장 떨어트리지 않던 그 작은 꽃이.

여태 달릴 수 없는 마음에도 함께 달리자고 말한 사람들은 많았지만, 달릴 수 없는 마음인데 같이 달리자 말해서 미안하다 말했던 사람은 없었다.

지하철이 이내 강을 지나 터널로 들어왔다. 잔뜩 까매진 유리창에는 내 얼굴이 비쳤다. 잔뜩 지친 내 얼굴이. 이렇게 지친 얼굴을 한 나를 왜 좋아하는 걸까. 왜 그렇게 걱정하는 걸까. 내 눈이 텅 비었다는 건 무슨 의미일까. 그런 생각을 하다가 생각이 원점으로 돌아오듯 최민혁의 말로 되돌아왔다.

그동안 치료를 받는 목적이 특별히 더 나은 삶을 살고 싶었기 때문은 아니었다. 그저 약이라도 먹으면 좀 나아질까, 이대로 살면 전 남친의 말처럼 정말 이 모든 게 내 잘못이었던 게 될 것 같아서. 뭐라도 붙잡고 싶은 마음에 병원을 찾은 것이었다. 그런데 이 치료에 대해 최민혁은 더 나은 삶을 살고 싶은 용기라고 말했다. 이제야 그런 생각이 들었다. 나는 신경정신과를 다닌다는 게 창피한 것이 아니었다. 내가 너무 못나서 그런 사람들을 만났고, 내가 너무 못나서 회사에서 부당한 요구를 맞이했을 때 당당하게 내 의견을 피력하며 싸울 용기가 없었고, 그로 인해 내가 이렇게 망가졌다는 것이 창피했던 것이다. 모든 걸 내 잘못으로 품고 살았던 것이다.

내 잘못이 아닌 부분까지 내 잘못으로 품고 사는 내 모습을 하필이면 나를 좋아한다는 최민혁에게 들킨 것 같아서 그게 창피했던 것이다. 어쩌면 그런 내 생각까지 간파했을지도 모른다. 창문에 비친 잔뜩 지친 얼굴이 힘없이 웃고 있었다. 약간의 깨달음을 얻었어도 나는 여전히 나였다. 그래서 뭐? 깨달음을 얻었으면 뭐? 자꾸만 비관적인 상념이 몰려와 어떻게 해야 할지 모르겠다는 생각이 들었다. 나는 비상약 한 알을 꺼내 물도 없이 꾸역꾸역 삼켰다.

이번에 출시한 립스틱이 꾸준히 좋은 반응을 얻어 회사의 온라인 몰 전용으로 몇 가지 컬러를 추가 제작하자는 얘기가 나왔다. 그 제품의 샘플을 담당한 사람은 나였기에 자연스럽게 신제품 제작에도 내가 참여하게 되었다. 겨울 시즌보다는 봄, 여름 시즌을 노리는 게 좋겠다며 온라인 팀 담당자가 의견을 내자 다들 고개를 끄덕였다. 어차피 이미 한 번 출시가 된 제품인 만큼 색상 배합만 잘 하면 내가 크게 바쁠 일은 없었다.

기획 단계의 회의라 별 생각 없이 태블릿으로 기획안을 휙휙 넘겨보고 있었는데 나를 빤히 보는 시선이 느껴져 고개를 들자, 최민혁은 언제 그랬냐는 듯 시선을 거뒀다. 잘못 본 건가 싶어 고개를 내리자 다시 빤한 시선이 느껴졌다. 기분이 이상해서 또 책상 아래로 손을 내려 연신 손등을 문질렀다.

회의가 끝나니 어느덧 점심시간이었다. 오늘은 점심을 거르고 병원에 가야 했다. 그날 최민혁을 통해 내 자신을 돌아볼 기회는 있었다. 결국은 내 마음의 문제라는 걸 깨달았지만 나는 여전히 갈피를 잡지 못하고 있었다. 그래도 최민혁은 꾸준히 내게 마음을 표현했다. 그게 꼭 언제든 기댈 곳이 필요하면 자신을 찾으라는 듯했다.

한결같이 안부를 묻는 의사 선생님에게 다짜고짜 마음도 일종이 근육이라는 데, 내 마음의 근육도 단단해질 수 있냐 묻자 의사 선생님은 눈을 크게 뜨며 나를 바라봤다. 그래서 나는 요 며칠 생각했던 말들을 두서없이 쏟아냈다. 결국 내 의문의 끝은 '그래서 어떡하라고?'였다. 내 얘기를 경청하던 의사 선생님은 내가 아픈 부위를 찾았다는 것만으로도 치료에 성과가 있다고 생각하면 기분이 한결 나아질 거라며, 가끔은 내 자신에 대한 깨달음을 내면이 아닌 바깥에서 찾는 경우가 있다고 얘기했다. 또한 의미 있는 깨달음을 얻은 것 같아 다행이라며, 지금 당장 어떻게 하겠다는 생각 또한 하지 않아도 된다 덧붙였다.

그런 의사 선생님에게 나는 물었다.

"선생님. 제 마음의 근육도 언젠가는 단단해질 수 있을까요?"

당연하다며 확신하는 대답에 괜스레 눈물이 났다. 고개를 숙이자, 눈물이 후드득 떨어졌다. 의사 선생님은 책상에 있던 티슈를 뽑아 나에게 건넸다. 내가 훌쩍이며 민망함에 웃자, 의사 선생님은 괜찮다고 지금 잘 이겨내고 있다며 나를 위로했다.

건물을 나오자마자 찬바람에 두 볼이 아렸다. 잠시 건물 입구에서 찬바람을 맞으며 서 있던 나는 충동적으로 주머니에서 휴대폰을 꺼내 사내 연락망에서 최민혁의 번호를 찾아 문자를 썼다. 오늘 저녁, 같이 먹자고. 그 짧은 문장을 쓰는 데에도 썼다가 지웠다가 한참이 걸렸다. 이내 나는 전송 버튼을 꾸욱 눌렀다.

"저녁을 먹자더니 술집이네요."

최민혁이 웃으며 자리에 앉았다. 만날 곳이 딱히 떠오르지 않아 지난번에 회식을 했던 그 술집으로 얘기를 했던 것이다. 그게 민망해서 작게 웃었다. 우리는 간단히 식사가 될 만한 안주와 맥주를 한 잔씩 주문했다. 맥주가 먼저 나오고, 뒤이어 보글보글 끓는 찌개가 나왔다. 맥주와는 그다지 어울리지 않는 안주였지만. 맨정신으로 할 얘기들은 아닐 것 같아서 나는 맥주를 한 모금 마셨다.

"지난번에 옥상에서 따졌던 일은 사과할게요. 대리님도 저를 생각해서 그러셨다는 거 알아요. 그런데도 괜히 창피한 마음에 화부터 냈어요. 대리님이 사과하실 일도 아니었고요."

아아, 하며 호응하던 최민혁은 잠깐 그날을 생각하는지 살짝 웃었다.

"제가 사과할 일이 맞으니까 개의치 마세요."

대수롭지 않다는 듯 대답하며 맥주를 마시는 최민혁을 빤히 바라보며 나는 물었다.

"그때 말씀하셨었죠? 제가 텅 빈 눈을 가졌다고. 대리님도 그랬던 적이 있다고요."

최민혁은 나를 보더니 픽 웃으며 고개를 끄덕였다. 그리고 과거를 회상하는 듯 팔짱을 끼고는 나직하게 말했다.

"제 위로 형이 한 명 있었어요."

과거형의 말에 나는 고개를 기울였다.

"머리가 좋아서 이미 미래는 보장받을 정도였고요. 저에게 참 좋은 형이었고, 부모님께도 참 좋은 아들이었는데. 제가 스무 살 때 저 때문에 죽었거든요. 정확하게는 신호 위반을 하던 트럭에 치일 뻔한 저를 구하려다가."

뜻밖의 말에 맥주잔을 집어 들던 내 손이 멈칫했다. 정작 최민혁은 아무렇지 않아 보였다.

"그때 저도 많이 다쳤었어요. 오른쪽 다리가 깔려서 재활 치료만 1년 가까이 했으니까. 장례식장에선 다들 우리 가족을 위로하면서 뒤에서는 왜 하필 첫째냐고, 그런 말들을 하더라고요."

"아니 그게 무슨……!"

순간적으로 한 톤 올라간 목소리가 튀어나왔다. 시끌벅적하던 술집 안에서 내 목소리가 유독 크게 울린 듯 사람들이 우리 테이블을 잠시 쳐다봤다. 민망함에 눈을 질끈 감았다 떴더니 내 반응을 예상했는지 최민혁은 잠시 낮은 톤으로 웃었다. 나는 웃는 얼굴을 보며 잠시 인상을 찡그리고는 맥주를 한 모금 더 마셨다.

"우연히 그 얘기를 들은 아버지가 장례식장에서 그 사람들한테 호통을 치고, 쫓아내고…… 난리였죠. 그땐 그냥 좀 멍했던 것 같아요. 그러다 보니 어느 순간부터 사람의 눈을 잘 못 보겠더라고요. 지금 나를 보며 웃는 사람의 눈에 비친 내가 끔찍하게 느껴져서."

"그건 대리님의 잘못이 아니었잖아요. 사고였잖아요."

"그 사람들 말처럼 내가 대신 죽었어야 했나, 내가 형을 죽인 건가……. 그런 생각에서 벗어나질 못하겠더라고요. 어느 날 세수를 하다가 문득 고개를 들어서 거울을 봤는데, 제 눈이 텅 비어있었어요."

위로조차 쉽사리 건넬 수 없는 사고였다. 나는 뭐라 말을 해야 할지 몰라 그저 최민혁의 얼굴만 보고 있었다. 내 안색을 살피던 최민혁은 애써 웃으며 찌개가 식으니 빨리 먹으라고 권했지만, 나는 고개를 저었다.

"그때 형 친구한테 멱살을 잡혀서 병원에 끌려갔거든요. 덕분에 좋은 의사 선생님을 만났어요. 저도 꽤 오래 치료받았고. 그 형이 저번에 회사 근처에 잠깐 들렀다던 지인이었어요. 아직도 가끔 만나거든요."

병원에서 나오는 나를 발견했다던 날을 얘기하는 것이었다.

"그 형이 그런 얘길 했어요. 언젠가 너처럼 텅 비어버린 눈을 하는 사람을 만나면, 모든 게 자기 잘못인 것처럼 마음을 닫아버린 사람을 만나면, 네 잘못이 아니라고 꼭 얘기해주라고. 그렇게 이 회사에 왔는데, 주임님 첫인상이 딱 그랬어요. 웃어도 진심으로 웃는 게 아닌 텅 빈 눈을 하는. 그런데 또 일은 참 열심히 잘 하잖아요. 그래서 자꾸 신경이 쓰였어요. 저 사람은 무슨 사연으로 저런 눈을 하고는 지친 기색으로 열심히 살고 있나. 그래서 처음엔 호기심으로 다가갔었는데."

중얼거리며 웃던 최민혁은 남은 맥주를 털어 마시더니 한 잔을 더 주문했다. 그제야 왜 그렇게 나와 눈을 마주하려 했는지 조금은 이해할 수 있게 됐다. 최민혁이 내 눈을 보는 건 나를 꿰뚫어 보기 위함이 아닌, 나를 살피고 걱정하는 마음이었다.

"그러다 시제품이 나올 때쯤 깨달았어요. 괜히 테스트를 핑계 삼아 손도 한번 잡아보고 싶고, 잡히는 손이 너무 하얗고 작아서. 이상하게 놓고 싶지 않더라고요. 손은 또 왜 이렇게 차가운지. 얼굴이 붉어져서는 계속 손등을 문지르는 주임님 보는 것도 귀엽다고 생각했고. 역시 내 생각대로 이 여자는 코랄이 잘 어울리는구나, 그런 생각도 했고."

새 맥주를 받자마자 크게 한 모금 마신 최민혁이 그날은 사심으로 개수작을 부린 거라며 씩 웃었다. 그게 민망해 고개를 푹 숙이자 내게로 최민혁의 시선이 꽂혔다.

"내 앞에 있는 사람이 진심으로 웃었으면 좋겠다고 간절하게 바라는 마음도 좋아하는 거 아닌가요? 나는 주임님이 그랬으면 좋겠거든요. 이왕이면 나를 통해서."

최민혁은 내게 되려 질문을 했다. 지금 자신의 마음이 동정처럼 들리냐고. 내가 맥주잔만 만지작거리며 아무 말도 하지 못하자 최민혁은 그럴 줄 알았다는 듯 살짝 웃었다. 나는 용기를 내서 말했다.

"저는요. 자신이 없어요. 그렇게 연애로 트라우마까지 생겼는데. 제가 이래서 다들 나를 떠났다는 말까지 들었는데, 이 상황에서 다시 연애를 시작할 용기도 없고요. 대리님이 저번에 말씀하셨죠? 마음도 일종의 근육이라고. 제 마음은 아직 단단하질 못해요. 어쩌면 대리님을 완전히 신뢰하지 못할 수도 있어요. 연애를 꼭 해야 하는지도 이제는 모르겠고."

내 말에 최민혁은 고개를 끄덕였다.

"다친 마음이 치료되는 데에는 시간이 오래 걸릴 거예요. 지금 당장 우리 사이를 정의하자 강요하고 싶진 않아요. 아직도 형 장례식장에서 몰래 들었던 말들이 가끔 생각나니까요. 이렇게 시간이 오래 흘렀는데도 말이에요. 가끔 주임님이 원할 때 지금처럼 둘이 저녁이나 먹으면서 얘기 나누는 것 정도면 충분해요. 제가 영 별로였으면 먼저 문자 보내진 않았을 거잖아요."

장난스레 말하는 얼굴을 보자 결국 웃음이 나고 말았다. 나는 웃으며 고개를 끄덕였다.

술집에서 나온 우리는 지난번 그 벤치에 앉았다. 나는 꽃밭 한 가운데에 핀 작은 꽃을 가리켰다. 그날 내가 보고 있던 게 저 꽃이라고 말하자 최민혁은 실눈을 뜨며 내가 가리킨 꽃을 찾아냈다.

"그날도 이렇게 찬 바람이 세게 불고 있었는데, 저 꽃은 다른 꽃보다 작고 연약하게 생겨서는 바람에 꽃잎 한 장 날리지도 않고 잘 버티고 있더라구요."

진지하게 말하는데 옆에서 나직하게 웃는 소리가 들렸다.

"그 옆에 잡초들이 꽃대를 지지해 주고 있는 건 안 보여요?"

최민혁의 말에 나는 잠시 일어나 꽃밭으로 다가가 쭈그려 앉아 작은 꽃 주변을 둘러봤다. 무성한 꽃들 사이로 유독 작은 꽃 주변에 튼튼하게 생긴 잡초가 조금씩 붙어서 자라고 있었다. 최민혁은 내 옆에 함께 쭈그려 앉아 작은 꽃을 톡 건드렸다.

"얘는 올겨울도 잘 버티겠네요."

그 말에 나는 고개를 옆으로 돌렸다. 최민혁은 여전히 작은 꽃을 구경하고 있었다.

"그리고 주임님도요."

최민혁은 옆에서 자신을 바라보는 나를 향해 고개를 돌렸다. 우리는 그렇게 한참을 꽃밭 앞에 쭈그려 앉아 서로를 바라봤다.

그날 이후로 우리는 아주 천천히 가까워졌다. 가끔 퇴근 후 저녁을 먹거나 영화를 봤다. 최민혁은 내게 어서 빨리 같이 달리자며 조르는 일 없이 진득하게 나를 기다려줬다. 서로 좋아하고, 의지할 수 있는 사람을 만났다고 해서 내 마음의 병까지 단번에 치료되는 건 아니니까. 그래서 나는 아직도 치료를 받고 있었다. 최민혁의 말처럼 다친 마음이 치료될 때까진 오랜 시간이 걸리기 때문에. 다들 사람으로 생긴 상처는 사람으로 잊으라고 말하지만 나는 그럴 수 없는 사람이었다. 하지만 내 상처를 알아봐 준 사람을 만나 아주 자그마한 용기를 냈더니 내 마음은 한결 가벼워졌다.

그동안 최악으로 끝을 내야만 했던 지난 연애가 모두 나로 인해 벌어진 일이었다고 말하던 그 사람의 말이나, 상처로 끝났던 지난 연애들은 아마 내게서 쉽게 잊히지는 않을 것이다. 최민혁의 말대로 종종 생각이 나겠지. 그걸 인정하는 데에 너무 오랜 시간이 걸렸다. 모든 걸 깨끗하게 잊어버리고 보란 듯이 잘 살겠다 발악하던 내 과거가 조금은 틀렸다는 걸 이제야 인정하게 됐다. 그저 자연스럽게 흘려보낼 생각을 해야 했는데. 하지만 과거의 발악하던 내 모습을 완전히 틀렸다고 생각하고 싶지는 않다. 그땐 그렇게라도 해야 살 것 같았으니까. 과거의 나에겐 다 이유가 있었을 거라고 생각하기로 했다. 회사에서 얻는 스트레스는 어쩔 수 없더라도 지나간 인연으로 인해 더 이상 나 자신을 망치고 싶지는 않았다.

그렇게 생각을 아주 조금 고쳐먹었더니 이제 비상약을 먹는 횟수도 줄었고, 불면의 밤을 보내는 일도 줄었다. 그 덕분인지 의사 선생님은 조금씩 약을 줄여보는 게 어떻겠냐는 제안을 했다. 조금은 가벼워진 약 봉투를 들고 병원을 나와 건물 입구로 걸어 나왔다. 비로소 찬바람이 아닌 파란 하늘부터 보였다. 나는 그렇게 시리도록 파란 하늘을 보며 오래도록 서 있었다.

모두가 손짓하는 세상

김민정

김민정   영어를 잘 하고 싶다. 중국어를 배우고 싶다. 영어는 세계 공통어니까. 중국어, 일본어는 제 2외국어로 학교에서 가르치니까. 외국어를 잘 하고 싶다는 생각을 인생에 살면서 수없이 많이 해봤지만 수화를 배워봐야겠다는 생각은 단 한 번도 해본 적이 없습니다. 왜 그동안 한 번도 생각해본 적이 없을까요?

나비 효과. 나비 효과는 나비의 작은 날갯짓처럼 미세한 변화, 작은 차이, 사소한 사건이 추후 예상하지 못한 엄청난 결과나 파장으로 이어지게 되는 현상을 말합니다. 옛날에 나비의 작은 날갯짓처럼 작은 손짓으로 왕궁을 송두리째 뒤 흔들릴 일이 생깁니다.

귀머거리 왕자의 탄생

왁자지껄한 광장 정 가운데 한 노파와 아이들이 모여 있습니다. 피부 부분 부분에 생긴 검버섯과 주름을 보아 노파는 90세는 넘었을 것이 분명합니다. 분명 아무것도 볼 수 없는 눈이건만 이야기를 꺼내려는 노파의 눈은 마치 눈앞에 일들을 보는 듯했습니다.

꼿꼿하게 하얀 지팡이를 쥐고 있던 그녀는 천천히 바닥에 지팡이를 내려다 놓았고 아이들은 두 눈 동그랗게 뜨고 노파의 행동을 바라보았고 보이지 않는 아이들은 그녀가 내려놓는 지팡이 소리에 집중하기 시작했습니다. 모여 있는 아이들은 각양각색. 눈을 감고 있는 아이도 있고 얼굴에 얼룩덜룩 반점이 있는 아이도 있고 팔 한쪽이 없는 아이도 있습니다. 바로 이 아이들은 모두 노파의 이야기를 듣기 위해 모였습니다. 노파는 우아한 손짓을 하며 이야기를 시작했습니다.

"오늘은 한 왕국의 왕자님 이야기를 시작해 볼까? 내 이야기는 다 실화인 거 알고 있지? 이 이야기는 내가 태어나기도 전에 있던 일이란다."

평화로운 왕국에 존경받는 왕과 자애로운 왕비가 있었어. 그들에게는 오랫동안 아이가 생기지 않아 큰 고민이 있었단다. 그래서 왕과 왕비는 오랫동안 하늘에 빌었단다. 아이가 어떤 모습이든 상관없습니다. 제발 저희에게 아이만 생기게 해주신다면 사랑으로 열심히 키우겠습니다. 기나긴 기도 끝에 왕비는 임신하고 왕자를 출산했단다. 이 사실을 알게 된 백성들도 기뻐했지. 추위가 가시고 모든 땅에는 잠자고 있던 생명들이 세상 밖으로 빠져나와 그 싱그러움을 뽐냈단다.

그때는 정말 세상이 행복으로만 가득할 줄 알았지. 하지만, 여름이 가고 낙엽이 져 넘쳐났던 생명들이 힘을 잃었을 때 비극이 시작되었단다. 뼛속까지 시린 추위가 시작되었단다. 왕자가 소리를 들을 수 없었던 게야. 왕국은 슬픔에 빠질 수밖에 없었단다. 그토록 오랫동안 기다렸던 왕자가 귀머거리라니? 세상은 더 이상 따뜻함이 오지 않을 것만 같이 혹독한 추위가 이어졌단다. 하지만 왕과 왕비는 포기 하지 않았지. 왕자가 어떤 상태든 힘껏 사랑해 주기 위해 노력했단다.

선생과의 만남

왕과 왕비의 노력에도 불구하고 왕자의 성장은 다른 아이들보다 느렸단다. 왕자는 벌써 열두 번째 생일을 맞이했음에도 글자를 전혀 읽지를 못했단다. 그리고 가족 간의 대화를 하고 싶었지만, 대화를 할 수 없었단다. 왕과 왕비는 대화를 위해 전국 각지에서 왕자를 교육해 줄 선생님을 찾았단다. 바다 건너 강을 건너 머나먼 섬까지 신하들을 보내 선생님을 수소문했어.

마침내 왕자를 교육해 줄 선생님을 찾았고 그는 왕자와 같이 들리지 않는 아이들을 가르치는 선생이었단다. 당시에 아주 특이한 방식으로 아이들과 대화한다고 알려져 있었지.

선생은 궁으로 들어갔고 왕과 왕비에게 특이한 방식의 대화를 알려주었단다. 하지만 의욕과는 다르게 왕과 왕비는 특이한 방식의 대화를 배우는 것을 어려워했단다. 글씨는 다시 여러 번 볼 수 있지만 특이한 대화의 방식은 손의 동작을 보고 외워야 했기 때문이야. 그림으로 남기는 방법도 있지만 그건 시간이 너무 오래 걸리는 방법이지. 비록 왕과 왕비는 몹시 바빴지만, 왕자와의 대화를 위해 열심히 배웠단다. 부모의 마음은 다 그런 게지.

왕과 왕비는 어느 정도 특이한 대화법을 익힌 후에 선생을 왕자에게 소개를 시켜줬단다. 선생은 왕자에게 아주 유쾌한 목소리로 "안녕하세요?"라고 천천히 또박또박 말을 건넸단다. 왕자는 인상을 팍쓰고 왕비의 뒤로 쏙 숨었단다. 그게 두 사람의 첫 만남이란다. 두 사람이 친해지는 데 까지는 정말 오랜 시간이 걸렸단다. 따뜻한 봄날이 온 줄 알았는데 갑작스레 들이닥친 꽃샘추위 같은 모습 이였지.

선생은 매일 같이 왕자를 찾아가 인사를 건네고 대화를 시도했단다. 대화를! 말이 된다고 생각하니? 듣지 못하는 아이에게 말로 대화를 한다는 게. 왕자는 계속 자신에게 말을 거는 선생의 의도를 이해할 수가 없어. 그와의 시간이 답답하기만 했지만 시간이 지나자 왕자는 궁금증이 생기기 시작했단다. 선생이 자신에게 무슨 말을 하는지. 항상 선생은 이야기를 할 때 왕자의 눈을 똑바로 보고 천천히 또박또박 말을 했거든. 그럴 때면 왕자는 입을 뻥긋하다 다물기를 일수였단다. 선생은 지긋이 왕자를 기다려줬단다. 부드러운 미소를 지으며 기다려주는 선생의 눈을 볼 때면 왕자는 가슴이 간질간질해졌단다. 그럴 때면 똑바르게 서 있을 수 없어 고개를 휙 돌리고 도망을 갈 수 밖에 없었지.

영원할 것 만 같았던 추위가 가시고 돌아났던 새싹이 꽃봉오리를 만들어냈을 때 즈음 왕자의 마음에도 봉우리가 생겨났단다. 왕자는 선생이 궁금해지기 시작했어. 나에게 또 무슨 이야기를 하려고 시도를 할까? 왕자는 밖 풍경을 보는 것을 좋아했어. 왕자는 태양이 정 가운데에 중심을 잡고 있는 시간을 기다렸단다. 햇살이 방 안으로 들어가 놓인 물컵을 반사하는 그 시간. 그 시간이 오면 왕자는 무심한 척 문 근처를 서성였단다. 선생은 왕자의 방문에 도착하면 꼭 세 번의 노크를 했단다. 정확히는 줄을 세 번 잡아당기는 거지. 그럼 문 위에 달려놓은 목각인형이 흔들렸단다. 왕자는 선생이 올 때의 그 진동을 느끼고 싶어 했단다. 바닥의 울림. 인형이 문에서 흔들릴 때의 진동. 인형이 흔들리고는 5초. 선생은 5초를 기다린 뒤 문을 열었단다. 그 틈에 왕자는 기다리지 않았다는 걸 티 내지 않기 위해 후다닥 창문 근처로 뛰어 갔단다. 사실 선생은 왕자가 자신을 기다리게 되었다는 걸 알게 되었지만 쌕쌕 숨을 참는 왕자의 모습이 귀여워 모르는 척을 했단다.

하늘이 붉은색으로 물들고 물컵에 드리운 그림자가 낮아지기 시작하면 선생은 인사를 하고 방을 나갔단다. 하늘이 붉게 물들려 할 때 왕자는 다급히 물컵을 들어 올렸어. 그러고는 입술을 오물거리며 선생이 '물'이라고 말 했을 때의 입 모양을 따라 하려고 노력했단다. 따라 하려 노력했지만 왕자는 '우-우-우' 밖에 소리를 내뱉지 못했단다. 선생은 뜨거운 눈물을 흘렸단다. 왕자는 어리둥절했어. 자신이 선생을 따라 하면 그가 웃을 줄 알았는데 눈물을 흘렸기 때문이지. 그래서 왕자는 자신이 잘못을 한 줄 알고 함께 울었단다. 한편으론 기뻐했단다. 붉은 하늘이 어느새 새까만 어둠으로 들이닥쳤는데도 선생은 왕자의 방을 나가지 않았거든.

열심히 이야기를 들려주던 노파가 목이 말라 허리춤의 물을 찾을 때 한 아이가 질문을 했습니다.

"할머니! 그럼, 선생님은 그동안 수업을 하긴 했나요?"

"예리한 지적이구나. 선생은 그동안 아이와 함께 시간을 보내기만 했지! 수업은 일절 하지 않았단다."

"왜요?"

아이들은 일제히 놀란 표정을 지으며 물었습니다.

"진정한 교육은 스스로 마음이 들어야 하기 때문이란다. 억지로 교육한다 한들 받아들이는 사람이 준비되지 않으면 아무런 효과가 없단다."

노파는 물통을 꺼내 물을 한 모금 다시고 다시 이야기를 시작했습니다.

수업의 시작

드디어 왕자와 선생의 수업이 본격적으로 시작했단다. 선생이 처음 와서 수업을 시작하기까지 1년 반이 넘는 시간이 걸렸단다. 선생이 가장 먼저 한 일은 왕자에게 글자를 알려주는 것이었단다. 이미 다른 선생들에게 교육받은 적이 있어 선생이 예상한 시간보다는 빠르게 습득했단다. 참 신기하지 않니? 다른 선생들과 별다를 게 없는 수업이었는데 왕자는 글자를 다 배웠단다. 글자를 배울 수 있었던 건 오직 선생의 굳건한 믿음과 기다림 이였단다. 글자를 익힌 후에는 소리를 내뱉는 법을 배웠단다. 발음은 부정확했지만, 글자를 쓰며 소리를 내뱉으면 그럴듯한 느낌이 들었단다. 선생은 왕자의 손을 자신에 입 속 넣고 입을 크게 벌려 발음할 때 혀의 움직임이 어디에 있는지를 알려주었단다. 때때로는 물을 입에 머금고 느껴지는 진동을 통해 소리를 가르쳤단다.

왕자가 글자와 대화를 이해하는 것에 익숙해지자, 선생은 왕자에게 자신만의 특이한 대화법을 알려주기 시작했단다. 그건 바로 수화란다. 수화는 바로 그때 본격적으로 시작했단다. 지금으로선 믿어지지 않겠지만 수화는 소수의 사람만 사용할 수 있는 언어였단다. 수화는 선생이 착안해낸 언어였기 때문이지. 왕자는 수화를 특별히 더 좋아했단다. 입 모양을 통한 대화는 사람들이 발음할 때 입 모양이 조금씩 다르기 때문에 앞의 대화를 유추해서 이해해야 하는 불편함이 있지만 수화는 손동작하는 거라 수화의 의미를 알기만 하면 내용을 바로 이해할 수 있어 편했기 때문이지. 왕자가 수화를 얼마나 좋아했냐면 직접 손동작을 그려서 책으로 만들기까지 했단다. 왕과 왕비는 드디어 왕자를 대화할 수 있게 되었단다. 정말 오랜 시간이 걸렸단다. 종이가 없어도 간편히 대화할 수 있다는 게 가장 즐거운 일이었지.

"잠시만요!"

한 아이가 노파의 이야기를 다급하게 끊어냈습니다.

"왕자가 수화를 그렇게 좋아했으면 수화부터 가르치면 좋았을 거 아닌가요? 왜 수화를 가장 마지막에 알려줬을까요? 왕과 왕비도 그렇게 바랐을 텐데요."

"물론 수화를 빠르게 가르쳤으면 왕과 왕비 그리고 왕자는 대화를 더 빠르게 할 수 있었을 게다. 하지만 수화를 가르치면 수화를 할 수 있는 사람들하고만 대화할 수 있지 않겠니? 지금이야 수화는 모르는 사람이 없을 정도로 다 사용하는 언어지만 그때는 아니었단다. 선생은 왕자가 가족들뿐만 아니라 다른 사람들과도 소통하는 것을 먼저 배우게 하고 싶어 했단다. 수화를 먼저 알려줬다면 왕자는 구화를 사용하는 것을 노력하지 않았을지 모르지."

노파의 설명이 끝나자, 아이들은 고개를 끄덕였습니다.

왕자의 세상에는 선생과 가족밖에 없었단다. 왕자를 위해 구화하는 법도 가르쳤건만 왕자는 서툰 자신의 발음이 부끄러워 입을 잘 열지 않고 혼자 시간을 보냈단다. 전에 하녀들이나 시종들에게 대화를 시도했을 때 왕자의 발음을 듣고 웃음을 참는 모습을 본 왕자는 자신감을 잃었단다. 친구 하나조차 없었지. 선생과 가족 간의 시간을 제외하면 도서관에 들러 하루 종일 책만 읽었단다.

왕자의 외출

선생은 궁 밖으로 왕자를 데리고 나갔단다. 처음에 왕자는 거절했단다. 태어나서 단 한 번도 궁 밖을 나간 적이 없기 때문이야. 그리고 왕과 왕비는 왕자에게 항상 밖은 위험이 도사리고 있다고 알려줬기 때문에 왕자는 밖이 무서웠단다. 때론 무서운 일도 극복해 봐야 한다는 선생의 설득에 왕자는 결국 넘어가 버렸지. 무엇보다 선생과 함께이니 안전하다고 생각했단다.

왕자와 선생은 궁 밖으로 나가서 가까운 마을로 갔단다. 부모님 말씀을 처음으로 거역한 왕자는 심장이 쿵쾅거리고 불안했어. 하지만 선생과 여러 차례 몰래몰래 나가보니 익숙해졌단다. 궁 밖의 사람들은 왕자를 그저 말 못 하는 벙어리로만 보였단다. 무엇보다 알아듣지 못할 것으로 생각해 자신에게 험한 말을 하거나 욕하는 사람도 있었단다. 난생처음 보는 단어라 왕자는 그 의미가 정확히 무엇인지 알 수 없었지만 좋지 못한 단어라는 것은 느낌으로 알 수 있었단다.

선생은 마을의 외곽까지 왕자를 데리고 갔단다. 마을의 외곽은 정말이지 허름했단다. 사람들은 삐쩍 말랐고 건강 상태도 좋아 보이지 않았단다. 치안마저 좋아 보이지 않았지만, 그 사람들이 위협해봤자 전혀 위협이 되지 않을 것처럼 보였단다. 그곳에는 앞이 보이지 않는 사람, 왕자와 같이 소리를 듣지 못하는 사람, 말을 하지 못하는 사람, 다리가 없이 태어난 사람들과 같이 장애를 가진 사람들이 모여 있었단다. 왕자는 충격을 받았단다. 이런 곳이 있을 거라는 건 상상도 하지 못했기 때문이란다. 왕자는 그곳이 불편해지고 싶지 않았지만, 선생은 왕자를 데리고 자꾸만 그곳으로 데려갔단다. 선생은 넉살 좋게 그 사람들에게 다가가 동의를 구하고 도움을 주었단다. 몸이 불편한 사람은 이동할 수 있게 돕는다던가. 앞을 못 보는 사람에는 하얀 지팡이를 만들어 쥐여주었단다. 그리고 왕자에게도 그들을 돕는 일을 시켰단다. 처음에 왕자는 그 일이 달갑지만은 않았단다. 오히려 꺼려지기까지 했지.

그러다 왕자는 또래의 소녀를 보았단다. 소녀는 양팔이 없었단다. 팔이 없음에도 소녀는 불편한 기색을 찾아보기가 힘들었단다. 발을 이용해서 소녀는 물건을 쥐고 음식을 먹기 힘들어하는 아이에게 음식도 떠먹여 주기도 했단다. 왕자는 소녀에게 빵을 나누어줬단다. 소녀는 빵을 받아 다른 사람들에게 나누어줬단다. 그러곤 왕자에게 감사 인사를 했지. 왕자는 이해할 수가 없었단다. 소녀는 누가 봐도 너무 말라 있었거든. 그래서 글을 읽지 못하는 소녀에게 용기를 내 말을 건넸단다. 왜 빵을 먹지 않고 다른 사람들에게 주었는지. 왕자는 긴장이 되어 소녀를 바라보았단다. 소녀는 웃으며 왕자가 알아볼 수 있게 천천히 말했단다. 이곳의 사람들은 가난하고 몸이 불편해 다른 사람들에게 버림받았지만 서로서로 도움을 주고받으며 의지하며 살아. 지금 난 저 빵을 먹지 않아도 괜찮아. 더 필요한 사람이 있다면 그 사람이 먹는 게 좋아. 근데 너 참말을 잘하는구나. 듣지 못하는 데 이렇게까지 말 잘하는 얘는 네가 처음이야. 라고 대답을 했단다. 왕자는 소녀의 대답에 한때 그들을 돕는 것을 불편해하던 자기 모습이 부끄러워졌단다. 그리고 말하는 것에 용기도 조금 생겼단다. 그날 이후로는 왕자는 적극적으로 도움이 필요한 사람이 있다면 솔선수범을 하며 도왔단다. 선생은 그런 왕자의 모습을 흐뭇하게 바라보았단다. 어느새 선생의 키를 훌쩍 넘겨

버린 왕자는 소년의 모습에서 청년의 모습으로 넘어가고 있었단다.

왕자는 궁 밖의 민들레를 처음 보았단다. 며칠이 지나고 민들레를 보니 샛노랗던 꽃잎들은 사라지고 솜사탕처럼 꽃씨가 박혀있는 모습으로 변했단다. 바람이 불면 꽃씨는 흩날렸지. 왕자는 그 풍경을 좋아했단다. 바람에 두둥실 날아간 민들레 홀씨가 부럽기도 했단다. 왕자는 처음엔 바람에 날아간 홀씨를 보고는 민들레를 꺾으려 했지만, 선생에게 혼이 났단다. 살아있는 생명은 모두 귀하게 대해야 한다고. 그래서 왕자는 쪼그려 앉아 민들레에 후하고 바람을 불었단다. 민들레 홀씨를 따라 춤추듯 날아가는 나비의 모습은 참 아름다운 모습이었다고 한단다.

이별

꼬리가 길어지면 잡히는 법. 결국 왕과 왕비에게 몰래 궁을 나갔다는 사실을 들키고 말았단다. 몇 년 동안 몰래 궁 밖으로 나갔는데 들키지 않은 게 이상한 일이지. 선생은 결국 궁 밖으로 나가게 되었단다. 왕자는 큰 충격을 받고 말았단다. 부모 말고 자신이 유일하게 마음을 열었던 상대인데 그 상대가 하루아침에 사라졌기 때문이란다. 왕자는 왕과 왕비에게 선생을 다시 궁에 드리길 간곡히 부탁하였단다. 하지만 그들은 단호하게 거절했단다. 왕자는 방에 박혀 방 밖을 나가지 않았단다. 하루 종일 침대에 누워만 있었지. 왕자의 마음을 대변하듯 장마가 시작되고 밖에서는 끊임없이 빗방울이 떨어졌단다. 장마가 끝나고 무더위가 계속되고 푸르렀던 나무들이 알록달록한 옷을 입기 시작해도 왕자는 방 밖으로 나가지 않았단다.

시간이 지나면 괜찮아질 거라 생각하고 위로했던 왕과 왕비는 더는 안되겠다는 생각이 들었단다. 결국 선생의 편지를 꺼내 왕자에게 건넸단다. 그 편지는 선생이 약속하고 간 편지였단다. 자신의 떠나고 1년이 지나면 왕자에게 전해주라고. 왕과 왕비는 슬픔에 빠진 왕자가 안쓰러워 선생의 약속을 지키지 못하고 편지를 꺼낸 것이란다.

잘 지내고 있니? 내가 떠난 지 1년이 지났으면 잘 지내고 있겠구나. 그동안 내가 알려준 공부는 복습도 잘했을 거라고 믿는단다. 만남이 있으면 이별도 있는 법이란다. 그때가 아쉬워 생각보다 궁에 오랫동안 머물렀구나. 마지막 이별을 그런 식으로 해서는 안 되지만 그게 아니면 네가 더 이상 앞으로 나아갈 수 없었을 것만 같았단다. 미안하구나. 하지만. 난 네가 민들레 홀씨처럼 스스로 해낼 수 있을 거라고 믿는단다. 더 이상 내가 가르칠 것은 없구나.

추신: 혹여라도 날 찾지 않기를 바란단다.

편지를 읽은 왕자는 믿어지지 않아서 편지를 읽고 또 읽었단다. 왕과 왕비는 왕자를 위로해 주었단다. 그리고 궁을 떠나길 바란 것은 오로지 선생이 원해서 떠난 것이라고 했단다. 사실 오래전부터 알고 있었다고 했지. 처음에는 왕과 왕비는 왕자와 선생이 나가는 것을 거세게 반대했다고 한단다. 하지만 선생의 끈질긴 설득 끝에 허락했지. 마지막에는 자신을 내쫓아달라는 부탁과 함께. 매몰차지만 이렇게 하지 않으면 왕자와 이별을 받아들이지 못할 것만 같았거든.

세상 밖으로

추운 겨울이 지나자, 왕자는 불현듯 나가야 한다고 생각했단다. 궁 안에만 있다 보니 답답함이 느껴졌기 때문이란다. 왜 나가야 하는지는 왕자조차 몰랐다고 한단다. 그저 나가야 한다는 생각만 들었다고 했지. 그래서 왕과 왕비 몰래 짐을 싸서 궁 밖으로 나갔단다. 물론 쪽지 하나도 방안 책상 위에 올리고 나갔단다. 쪽지에는 이렇게 쓰여 있었단다. '저를 찾지 마세요. 때가 되면 돌아올게요.' 왕자는 정처 없이 걷기 시작했단다. 선생과는 가보지 않은 마을까지도 걸어갔단다. 사실 전에 선생과 갔던 장애인들이 모여 사는 마을에 갈까도 싶었지만, 선생이 떠오를 거 같아 관두었단다.

마냥 걷던 왕자는 배가고파 한 식당에 들어갔고 음식을 주문하려고 종이를 꺼냈단다. 식당 주인은 고개를 갸웃거리며 여기서 왜 종이가 나와? 하는 표정으로 왕자를 바라보았단다. 왕자는 식당 주인이 알아들을 수 있게 손으로 귀를 가리키고 팔을 들어 엑스 표시를 했단다. 그제야 식당 주인은 왕자가 듣지 못한 다는 것을 알게 되었단다. 왕자는 글자를 쓰려했는데 식당 주인이 고개를 저으며 못 읽는다고 했단다. 주변 다른 사람들도 글을 못 읽는 것은 마찬가지였단다. 이번에는 왕자가 말을 시도했지만 약간 부정확한 발음에 식당 주인은 알아듣지 못했단다. 왕자가 자신감 없이 중얼거려서 식당 주인이 알아듣지 못했던 게야. 왕자는 한 청년의 테이블을 가리키며 같은 음식을 달라고 몸짓을 했단다. 식당 주인은 그제야 왕자의 말을 이해하고 주방으로 들어갔단다. 왕자는 아주 진땀이 빠졌단다.

왕자가 음식을 먹기 시작하자 한 청년이 왕자가 앉아있는 테이블의 의자를 빼서 앉았단다. 아주 호기심 어린 표정으로 왕자를 보았단다. 왕자는 그의 시선이 부담스러웠단다. 청년은 천천히 왕자에게 말을 걸었단다. '내 말 알아들을 수 있겠어?' 청년은 과장된 몸짓을 하며 입을 크게 벌리며 말을 했단다. 청년의 질문에 왕자는 고개를 끄덕였단다. 왕자가 고개를 끄덕이자 식당에 있던 사람들은 모두 놀란 표정을 지었단다. '글자도 읽을 수 있어?' 청년은 두 눈이 튀어나올 정도로 커져서 물었고 왕자는 다시 고개를 끄덕였단다.

식당 사람들은 귀머거리가 어떻게 글을 읽을 수 있는지, 정확하지는 않아도 어떻게 말을 할 수 있는지, 입 모양으로 어떻게 대화를 알아들을 수 있는지 토론을 하기 시작했단다. 진짜 안 들리는 거 맞는지 확인하려고 왕자의 귀에다 냅다 소리를 질러보는 사람도 있었단다. 식당 사람들이 시끌벅적하게 소리를 지르자 식당 주인이 손으로 귀를 감싸고 시끄럽게 굴 거면 나가라고 빽 소리를 질렀단다. 그 소리가 어찌나 시끄럽던지 밖에 있던 강아지까지 놀래서 짖고 식당 안에 사람들은 손으로 귀를 막아야 했단다. 아무것도 듣지 못하는 왕자는 이때다 싶어 혼자 고요하게 식사를 다시 시작했단다. 사람들은 왕자가 정말 듣지 못하는구나. 믿게 되었단다.

청년은 테이블에 노크를 했단다. 그러곤 고개를 든 왕자의 눈을 똑바로 바라보며 '그럼 글 좀 읽어 줄 수 있어? 라고 물었단다.' 청년은 간절한 눈빛을 담아 왕자를 바라보았단다. 왕자는 고개를 끄덕였단다. 청년은 왕자에게 잠시만 기다려달라고 부탁하고는 집으로 편지를 가지러 갔단다. 청년이 잠시 자리를 비운 사이에 식당의 손님들은 이때다 싶어 왕자에게 질문을 했단다. 하지만 쉴 새 없는 질문과 부정확한 입 모양 때문에 왕자는 대화의 내용을 이해하기가 어려웠단다. 사람들은 왕자가 이해를 하지 못하자 아쉬운 기색을 내비쳤단다. 왕자는 그들에게 실망감을 준 거 같아 슬퍼졌단다.

마침내 청년이 편지를 들고 왔단다. 청년은 신이 나서 왕자에게 설명했단다. '이건 일이 있어 잠시 옆 마을로 간 리리의 편지야. 이 편지에 리리가 뭐라고 썼는지 알려줄 수 있겠어? 난 글을 몰라서....... 리리는 내가 글을 읽지 못하는 줄 몰라. 내가 부끄러워서 리리한테 글을 읽을 줄 모른다는 걸 말하지 않았거든. 아무튼 읽어줘! 어찌 되든 내가 열심히 해석해 볼게. 무슨 내용인지만 알면 될 거 같아.' 신이 나서 떠드는 청년의 입 모양이 부정확해져서 왕자는 청년의 말을 바로 이해하기는 어려웠단다. 하지만 읽어달라는 건 확실히 알아들었단다. 지신을 신뢰하는 눈빛으로 간절히 바라보는 청년을 보고는 왕자는 책임감을 느꼈단다. 그래서 편지를 아주 또박또박 읽어보려고 노력했단다.

왕자는 청년이 알아듣지 못하는 부분은 몸짓과 그림을 그리면서 설명을 해줬단다. '정말 고마워. 네가 아니었으면 이 편지는 그림의 떡이었을 거야. 이 마을에서는 처음 보는 데 여행 중이야? 여행 중이면 우리 집에서 머물래? 여관이거든.'

  왕자는 마땅히 갈 곳도 없어, 그렇게 청년의 여관으로 가게 되었단다. 청년은 쉬고 있는 왕자의 방문을 두들겼단다. 문의 진동이 느껴지자, 왕자는 방문을 벌컥 열었단다. 청년은 깜짝 놀랐단다. '어? 근데 너 안 들리는데 어떻게 안 거지?' 왕자는 종이에 물결 표시를 그렸단다. 청년은 고개를 갸웃거렸고 왕자는 청년의 손을 책상에 올리고 책상을 흔들었단다. 그제야 청년은 알아들었다는 듯 고개를 끄덕였단다. 청년은 뒷머리를 긁적거리며 왕자에게 다시 한번 부탁했단다. '저 리리 편지 답장 좀 써줄 수 있어?' 왕자는 미소를 지으며 책상에 앉아 종이를 꺼내고 펜을 들었단다. 그리고 조금 긴장이 되었단다. 청년의 말을 100% 알아듣는 것이 아닌데 다른 이에게 편지를 쓰는 것을 자신이 맡아도 되는지. 왕자가 조금 자신 없다는 듯이 말하자 청년은 해맑게 웃으며 대답했단다. 아무 말도 쓰지 못하는 것보단 좋지 않겠냐며. 정확히 전달되지 않아도 된다고. 느낌만 전달되면 된다고. 괜찮다고. 이렇게 자신을 도와주는 것만으로도 고맙다고. 왕자는 용기를 내어 청년의 말을 편지로 썼단다.

선생이 된 왕자

마을 내에서 왕자는 하루아침에 유명 인사가 되었단다. 글 읽는 귀머거리. 말할 줄 아는 귀머거리로. 마을 사람들은 왕자가 지나갈 때 힐끔힐끔했고 왕자는 그 시선이 부담스러웠단다. 마을을 걷다 보니 어느새 청년이 왕자의 곁으로 다가왔단다. '어이 친구. 어제 곰곰이 생각해 봤는데 마을에 좀 더 머물 거면 나 글 좀 알려줄 수 있어? 여관비 무료로 어때?' 청년은 잔뜩 긴장한 표정으로 왕자를 바라보았단다. 왕자는 자신이 본 것이 정확하지만 청년의 말이 바로 이해가 되지 않았단다. 자신에게 글자를 가르쳐달라니. 왕자는 너무 놀라서 그래도 얼었단다. 그리고 친구라니. 겨우 본 지 하루 만에 자신이 그의 친구가 될 수 있는 것이 신기했단다. '역시 무리한 부탁인가? 미안.......' 청년이 사과하려 하자 왕자는 고개를 저으며 '아니야'라고 외쳤단다.

쇠뿔도 단김에 빼라는 말처럼 바로 그날 오후부터 청년과 왕자의 글자 교육이 시작되었단다. 왕자가 청년에게 글자를 알려주는 것은 아주 쉬운 일은 아니었단다. 왕자는 자신이 정확히 낼 수 없는 발음은 사물을 그려서 알려주었단다. 왕자는 청년에게 잘 가르쳐주고 싶었지만, 자기 선생처럼 유능하게 가르쳐주는 것은 쉽지 않았단다. 때때로 마을 사람들이 곱지 않은 시선으로 장애인한테 교육받는다는 험한 말을 하기도 했지만, 그럴 때마다 청년은 그 사람들에게 말해줬단다. '너희는 그럼 쟤보다 글 잘 읽어? 그리고 들리지 않았는데 글을 읽는다는 것은 그만큼 노력했다는 거야. 치열한 노력으로 이룬 사람이니 분명 유능하게 가르칠 수 있어.' 청년의 말에 마을 사람들은 입을 꾹 닫고 지나갔단다. 청년은 왕자가 주눅이 들 때면 '넌 세상에서 가장 유능한 귀머거리 선생이야.' 라 말하며 엄지손가락을 치켜세워줬단다. 청년이 읽을 수 있는 글자가 늘어나자, 왕자는 보람을 느꼈단다.

기본적인 글자를 읽게 된 청년을 보자 몇몇 아이들은 두 사람은 수업을 몰래 구경했단다. 청년은 아이들을 잡아다 자신이 배운 것을 알려주었단다. 그러곤 왕자에게 선생님이라고 부르게 했단다. 처음에는 아이들까지 수업을 듣게 되는 것을 못마땅해하는 사람들도 있었지만, 왕자가 자신이 읽었던 책을 들려주기 시작했더니 수업을 들으러 오는 사람들이 늘어났단다. 물론 수업보단 이야기를 들으러 오는 사람들이 대부분이었지. 서툰 발음으로 이야기하는 왕자와 찰떡같이 알아듣고 다시 실감 나게 설명해 주는 청년의 이야기를 마을 사람들은 즐거워했단다. 왕자는 하루하루가 가슴이 설렜단다. 사람들과 대화하고 진심으로 웃는 일상들이 말이다. 모든 이들이 다 수업에 열정적인 것은 아니었지만 글자 읽는 것에는 관심을 두기 시작했단다. 왕자의 모습에 용기를 얻어 자기 자녀를 데리고 오는 부모도 생겼단다. 왕자와 똑같이 들리지 않는 아이들을 말이다. 하지만 그 아이들과 다른 아이들을 모두 가르치기는 힘들었단다. 자신과 같은 교육을 지금 저 아이들 여러 명에게 한 번에 가르치는 것은 시간도 많이 들고 현실적으로 어렵지. 간절한 부모의 눈과 주눅이 들어있는 아이들의 모습을 보자 왕자는 마치 자신의 어렸을 때를 보는 듯했단다. 그리고 부모님의 마음이 당시 어땠을지 짐작이 되기 시작했단다.

자신을 걱정하고 있을 왕과 왕비가 떠올랐지만 왕자는 지금 자신이 해야 할 일이 무엇인지 떠올랐단다. 왕자는 글자를 익힌 사람들과 귀가 들리지 않는 사람들을 모아 수화를 가르치기 시작했단다. 사람들은 손을 움직여서 대화를 하는 방식을 생소해했단다. 이걸 굳이 왜 배워야 하나 의문을 가진 사람들도 있었단다. 하지만 간절한 표정으로 수업에 열중하는 부모의 모습을 보고는 다들 수긍할 수밖에 없었단다. 들리지 않아도 대화할 수 있는 방법. 짧은 기간 안에 많은 것을 가르치는 것은 쉽지가 않았지만 아주 간단한 의사소통은 가능해졌단다. 왕자는 어렸을 때 자신이 만들었던 수화 책을 보강해서 사람들에게 나눠주기도 했단다. 간단한 수화는 마을에서 유행처럼 퍼졌단다. 거리에는 장애를 가진 사람들이 당당하게 밖을 돌아다니기 시작했단다. 장애를 가졌다는 이유 하나로 따가운 시선을 보내는 이들도 눈에 띄게 줄어들었단다. 왕자는 그 마을에서 희망이었단다. 수화는 점점 더 유행이 퍼지기 시작했단다. 수화의 동작이 마치 춤 같다며 거기에 맞춰 노래도 만든 아가씨도 있었지. 노래까지 유행이 퍼져 마을에서는 간단한 수화 정도는 해야 대화에 낄 수 있다는 시선이 생겼단다. 왕자는 유행하는 노래를 들을 수 없어 아쉬워했단다. 왕자도 음악을 즐기고 싶어 했단다. 그런 왕자를 위해 마을 아이들이 모여 춤을 추듯 수화를 보여줬단다. 물론 서툰 수화였지만 왕자에게 음악을 보여주려는 아이들이 노력이 참 아름답게 느껴졌단다.

아이들의 수화 노래 공연이 끝나자 어느 새 하늘이 빨갛게 물들어갔단다. 청년이 왕자의 어깨를 툭툭 치며 따라오라고 손짓했단다. 왕자는 청년을 따라 길을 걸었지. 언덕을 올라가니 청년이 뒤를 돌아보라고 했다. 언덕 밑을 보니 민들레 홀씨가 바람에 흩날리고 바닥에 삐뚤삐뚤한 글씨로 감사합니다. 라는 글씨와 일제히 수화를 하는 마을 사람들이 보였다. 왕자는 그때의 선생처럼 뜨거운 눈물을 흘릴 수밖에 없었단다. 그날은 왕자의 기억에서 잊을 수 없는 최고의 하루였다고 한단다.

왕국으로

왕자는 마을 생활을 정리하고 다시 궁으로 돌아갔단다. 마을 사람들은 아쉬워했지만 왕자는 반드시 해야 하는 일이 생겼다고 떠났단다. 궁으로 돌아간 왕자는 건장한 청년이 다되었단다. 왕과 왕비는 왕자가 궁을 떠났을 때보다 흰 머리카락과 주름이 늘어난 상태였단다. 왕자는 어느 새 늙어 버린 왕과 왕비에게 미안한 마음이 생겼지만 자신이 겪을 일과 앞으로 해야 하는 일에 대해 이야기 했단다. 왕과 왕비는 때때로 떠나버린 왕자를 다시 궁으로 데려오려고도 했지만 선생의 조언을 가슴에 새기며 왕자가 무사히 돌아오기만을 기다렸단다. '아이가 스스로 무언가를 해보려 노력한다면 기다려주세요. 넘어져 봐야 일어날 수 있습니다. 넘어졌을 때 일으켜 세워주면 스스로 일어나는 법은 알 수 없게 됩니다. 도움을 요청하면 그때 도와주세요.' 선생은 왕자에게

만 편지를 남긴 것은 아니었단다.

왕자는 학교를 설립하기 위해 노력했단다. 궁과 가까운 마을은 글을 읽을 줄 아는 사람들이 많았지만 외곽지역으로 갈수록 글을 모르는 이들이 많았고 장애를 가졌단 이유로 버림받은 사람들도 당당히 세상 밖으로 나갈 수 있는 세상을 만들고 싶었단다. 그리고 자신처럼 듣지 못하는 아이도 대화 할 수 있는 세상을 만들자고. 글을 알려줄 선생을 구하는 것은 쉬웠지만 수화를 알려줄 선생은 거의 없었기 때문이란다. 왕자는 선생의 제자들을 수소문해 궁으로 불러들였단다. 그리고 함께 수화의 체계를 다지고 보다 쉽게 배울 수 있는 방법을 연구했단다.

선생은 찾지 않았단다. 왕자는 선생의 도움 없이 스스로 해내고 싶어 했지.

모두가 손짓하는 세상

왕과 왕비도 왕자의 뜻을 도와주기 위해 노력했단다. 궁내의 사람들에게도 모두 수화를 알려주었단다. 왕과 왕비가 직접 알려주려 하니 거절 할 수 있는 사람은 없었단다. 궁정 음악가도 불러 수화를 붙인 따라 부르기 쉬운 음악도 만들었단다. 왕자는 음악이 민들레의 홀씨처럼 널리 널리 퍼지길 바랐단다. 수화를 담은 음악은 '민들레 음악'이라는 호칭을 붙여 유행을 만들어냈단다. 수화에 거부감을 갖던 이들도 '민들레 음악'이 유행을 하자 따라 하기 시작했단다. 급기야 창작을 하는 사람들도 점차 늘어나기 시작했단다. 왕은 왕자를 자랑스러워했단다. 귀머거리로 태어난 아들이 늘 걱정스럽고 이렇게까지 할 수 있을 거라 생각을 못했기 때문이란다. 장차 나라를 이끌 성군이 될 것이라 믿어 의심치 않았단다. 하지만 왕자는 왕의 기대와는 다르게 다시 궁 밖을 나가길 원했단다. 왕은 단호한 왕자의 태도와 빛나는 눈동자를 보자 말릴 수가 없었단다. 따뜻한 봄이 되면 궁을 나가라는 왕비의 간곡한 간청에도 왕자는 추운 겨울 궁 밖을 다시 나섰단다. 날카로운 바람에 뼈가 시리고 입술이 달달 떨렸지만 설렘으로 가득한 왕자의 마음까지는 추위가 파고들지는 못했단다. 가장 아프고 힘들었던 날 들은 겨울이었지만 왕자는 겨울을 가장 좋아했단다. 나뭇가지 한 점 없는 그 겨울나무가 마치 자신의 예전 모습이 떠올랐거든. 초라하기 그지없는 태초의 그 모습. 볼품없는 모습일지라도 나 자신이다. 비록 이렇게 옷을 벗어던지고 있을지 몰라도 봄이 오면 꽃을 피우고 여름이 오면 푸르른 옷을 입고 가을이면 알록달록 옷을 입고야 만다. 어떤 옷을 입던 그 뿌리는 나라는 것은 변하지 않는다. 추운 겨울에도 땅 깊숙이 뿌리를 내딛고 견디는 그 모습을 왕자는 사랑했단다.

드디어 노파의 이야기가 끝이 나고 노파는 물을 마셨습니다. 아이들을 노파가 이야기를 더 해주길 간절히 바랐습니다. 하지만 노파는 물을 마시고는 지팡이를 집어 들었습니다. 노파의 행동을 본 아이들은 안 된다고 이야기를 더 들려주라고 아우성을 쳤습니다.

"왕자는 그렇게 아이들을 가르치기 위해 떠났단다."

노파는 마침내 자리에서 일어섰습니다.

"그 이후의 왕자에 대해 알고 싶다면 스스로 찾아보거라. 역사서에도 기록이 되어있는 인물이니 말이다."

"이야기 들려주셔서 감사합니다."

아이들은 앞을 못 보는 노파를 위해 큰 소리로 인사를 했습니다. 목소리만으로 인사를 해도 되지만 일제히 수화도 함께 했습니다. 이곳은 왕자가 그토록 꿈꾸던 세상이 되었습니다. 수화를 알지 못하는 사람들은 이제 없습니다. 장애인도 비장애인도 마음껏 대화할 수 있는 그런 세상이.

당신의 불행을 구매합니다

김도빈

김도빈   HELLO WORLD. 사람 사는 세상을 쓰고 그리는 사람입니다. 살고 싶은 대
로 살고, 하고 싶은 말을 합니다. 그 과정에서 성장하고 나 자신을 돌아보
며 보다 나은 삶을 살고자 노력합니다. 다른 사람의 세계를 돌아보고 잠
시 머물며 기록하기를 좋아하는, 모두에게 있어서 외계인 같은 사람. 이
번에 처음으로 저의 세계를 여러분께 보여드리게 되었습니다.

당신의 불행을 구매합니다. 잊고 싶은 기억, 고통스러워서 몸서리 쳤고, 지금도 상기할 때마다 아프고 후회되는 그 기억을 가진 모든 현대인 분께, 저희 제아(ZEA)인생시술내과에서만 선보이는 불행추출시술을 소개합니다. 어떠한 고통 없이 그대로 당신의 몸 밖에서 추출해 없던 일처럼 만들어 드립니다. 더 이상 눈물 흘리지 마세요. 상처받는 것을 두려워하지 마세요. 불행의 급이 높을수록 더 비싼 값에 구매해 드립니다. 당신의 불행에 대해 보상 받는 기분까지 느껴보세요!

　2050년대, 기술의 발달이 정점을 찍는 황금기. 20년가량 전까지만 해도 '이게 가능할까?' 싶은 것들은 모조리 가능해지는 시기였다. 공해가 발생하지 않는 자동차가 보편화되고, 주행로가 슬슬 하늘에도 건설되어 '공중고속도로'가 건설되는 한편, 사람의 모든 끼니를 대신할 수 있는 정제 알약도 생겨났고 고도로 발전한 인공지능들이 기업을 주도했다. 그런 기술적인 면의 발전에 있어선 슬슬 감흥이 없어지던 사람들에게 불행을 추출한다는 기술은 엄청난 시선을 끌게 되었다.

　제아인생시술내과. 부산에 위치한 작은 신생 병원으로, 개업한 지는 1년이 되어가는 동네 병원 정도의 규모였다. 처음에는 '실패를 딛고 일어나기 클리닉', '감정 조절 피트니스' 등 여타 다른 정신과와 딱히 차이가 없을 만한 시술들 덕에 정신의학과, 혹은 심리치료센터 정도로 취급받았다. 그 병원의 존재조차 모르는 사람이 대다수였으나, 이번 광고로 인해 전국의 사람들에게 제아인생내과는 큰 인상을 남기게 된다. 어떻게 보면, 그만큼 기술과 세상이 발전한다고 모두가 행복해지는 것이 아니라는 뜻이기도 했다.

당연히 허무맹랑한 사실이라고 떠들어 대는 사람들이 많아지자, 제아인생내과는 영상매체 플랫폼을 통해 공식 영상을 업로드했다. 태어날 때부터 곁을 지켜주던, 인간으로 치면 14년을 훌쩍 더 산 반려견을 잃었던 소녀를 대상으로 하는 시술 전후를 보여주는 영상이었다. 소녀는 4년 전, 경부공중고속도로 건설지 부근에서 반려견과 산책을 하던 도중, 도로공사재 파편이 정확히 반려견 위로 떨어지는 통에 가족을 잃어버린 이후 자신의 강아지 사진은 물론 다른 강아지들을 볼 때마다 비명에 가까운 눈물을 쏟았고, 공중고속도로 아래를 지나다니지도 못하는 심한 외상 후 스트레스를 받게 되었다. 그런 사정의 아이가 아무 일도 없었다는 듯이 강아지를 만지고, 공중고속도로 바로 아래 육교에서 활짝 웃으며 사뿐 걸어 다니는 모습을 보여주자 전 국민은 놀라지 않을 수 없었다.

소녀에게 반려견 이야기를 하면 도무지 모르겠다는 반응으로 일관했으며, 자기 반려견 사진을 봐도 알아보지 못했다. 소녀에게는 어떠한 절제술 흔적도 없었고, 아파하는 기색도 없었다. 이마저도 주작이라는 사람들이 있긴 했으나 잊을 수 없는 불행으로 고통받으며 살았던 사람들에게 있어 적어도 소녀의 사례는 자신들이 평생 염원하던 것과도 같았다. 그렇기에 광고가 시작된 지 5일, 소녀의 영상이 올라간 지 3일 만에 수많은 사람이 불행추출시술, 이하 MisFortune Extraction Treatment, MFET를 예약하거나 받기 위해 제아인생내과로 향했다. 상담 홈페이지는 쭉 마비되어 전화나 전자 예약은 아예 불가능했고, 현장 대기도 무서울 정도로 길었다. 아예 며칠 뒤로 현장 대기를 잡고 부산에서 숙박 시설을 잡아 단기 거주를 하는 사람들까지 생겨나 부산의 호텔이나 민박들마저 거의 매진되다시피 했다.

아침 기도를 드리러 가던 길이던 청산은 시끄러워진 자신의 동네를 보며 한숨을 쉬었다. 청산이 다니던 교회와 살고 있는 주택의 두 블럭 건너에 제아인생내과가 있었던 터라, 기도를 올리고 예배를 드리는 와중에도 어지러운 교통과 북적이는 사람으로 통 마음을 비울 수가 없었다. 녹색 긴 머리를 사포와 같은 긴 천으로 두른 채 집으로 돌아가던 그는 그런 사람들이 이해되지 않았다. 그는 18살의 소년이었고, 후회되는 일이 있다고 한들 신에게 기도를 올리면 그만이라는 생각을 하고 있었다. 하느님은 당신을 사랑하사…. 그 분의 아래에서 회개하면 그분이 너를 용서하리니. 그런 비슷한 이념 아래에서 그냥저냥 살아갔다. 물론 신은 아무것도 해 주는 것이 없었다. 기도한다 한들 MFET처럼 없던 일로 만들어주는 것도, 실질적인 금전을 주는 것두 아니었으니까. 그냥, 내 곁에 누군가가 있다. 누군가가 나를 보우하신다. 같은 이념 아래 모르는 이들끼리도 자매든 무엇이든 결속하여서 한 마음으로 엮인다. 그런 것들이 삶에 안정감을 가져오는 것과 같았다. 이런 부분에서는 인간이 신보다 실질적으로는 훨씬 뛰어나고 혁신적인가. 청산은 그리 생각하며 휴대폰으로 MFET에 대한 시술자들의 후기를 둘러보고 있었다. 가장 화제가 되는 주제인 만큼 수많은 글이 빠르게 지나갔다.

[나 불행 팔고 60만 원 받음.]

[엄마 말로는 내가 이웃집 형을 두려워했다는데 난 기억도 안 나. 쩔지.]

[근데 이 불행들은 다 어디로 가는 거임? 동의서 보니까 추출한 불행은 내과에서 어떻게 처리하든 동의하는 거라고 쓰여 있던데. 물론 그딴 거 어디 써먹지도 못할 거고 내 알 바도 아니지.]

수많은 글이 오르락내리락하며 제각각의 의사를 담고 있었다. 교회에 도착하자 그는 휴대폰을 주머니에 넣고 아무도 없는 교회에 들어섰다. 모든 고통에서 해방되어가는 사람들은 점차 이런 종교적인 장소를 찾지 않아 한적했다. 익숙한 고요함과 비어 있음에 익숙히 자리를 잡고 앉으려던 찰나, 자신이 늘 앉던 자리에 한 소년이 앉아있는 것을 발견했다.

소년은 곱슬거리는 노란 머리를 하고 있었다. 가만 옆에 가서 앉으니 기도를 드린다기보다는 지쳐서 자고 있다고 하는 것이 맞겠다. 환자복 비슷한 것을 입고, 반팔 아래로 드러나는 얇은 팔에는 예방접종을 하고 나면 붙여 주는 작은 밴드가 무려 여섯 개나 붙어 있었다. 전체적으로 아담한 체구가 또래 중에서도 체구가 큰 편인 청산과 대조되어 더욱 작아 보였고, 코와 볼에는 전반적인 주근깨가 두드러졌다. 감은 눈은 쌍꺼풀과 속눈썹이 예쁘게 내려앉아 얼핏 보면 여자인가, 라고 섣불리 생각해버려도 그다지 이상하진 않을 것같이 고왔다. 소년은 눈을 감고, 고통스러운 듯 낮게 앓으며 헤매듯이 자고 있었다. 호흡이 쌕쌕이며 불안정하고, 아픈 듯 허억, 하고 숨을 들이쉬며 떨기도 했다. 가만 그를 보던 청산이 결국 걱정되는 마음에 어깨를 잡고 살살 흔들자,

"……허억!!!"

감은 눈이 팍, 떠지며 녹색 홍채가 모습을 드러냈다. 여린 풀잎 같은 녹빛 눈이 곱슬기 있는 노란 머리와 합쳐지고, 주근깨까지 가세하여 완전히 이국적인 분위기를 풍겼다. 소년은 상황 파악이 되지 않는 채 청산만을 뚫어지게 쳐다보았다. 두 눈을 몇 번 깜빡, 깜빡…. 그렇게 무의미하게 시간을 보내는 통에 청산이 먼저 말을 걸 수밖에 없었다.

"몸이 많이 안 좋은 것 같은데, 병원에 안 가도 돼?"

그만의 고유한 말씨는 10대의 소년치고는 꽤 진중하고 속된 말로 나이 든 듯했다. 그런 청산의 첫 마디에 소년은 머쓱한지 뒷머리를 살짝 긁적이며 사과했다.

"방해됐나요?"

"별로. 네 상태가 안 좋아 보여서 그런 게 다야. 네가 편하게 자고 있었다면 깨우지 않았을걸."

"오늘 투여받은 약이 좀 독했나 봐요."

걱정해주셔서 고마워요. 라며 말갛게 웃는 소년은 참 고왔다. 3월의

들에 핀 개나리가 사람이 된다면 딱 이럴까 싶을 정도로. 아까 본 것의 안쓰러움까지 더해져 아이는 묘하게 청산의 마음 속 어딘가를 자극했다. 연민, 안쓰러움...... 따위의 감정.

"어디가 아파서 그리도 주사를 많이 맞은 거야?"

"다시는 아프지 않기 위한 예방 접종이래요."

"지금 당장 아픈 게 아닌데도?"

소년은 고개를 끄덕였다. 다 저를 위한 거래요. —그 말에 청산은 여러 가지 가능성을 혼자 생각해보게 되었다. 과보호? 약물 오남용? 그렇기에 여기로 도망쳐 나온 건 아닐까. 당사자에게서 들은 적 없는 사실들로 괜히 소설을 쓰고 있다. 처음 본 사이에 섣부르게 말을 걸거나 사정을 물으면 실례일 것만 같아,

"내 이름은 청산이야. 혹시 이름이 뭐니? 여긴 원래부터 다녔니?"

청산은 친밀감부터 쌓기로 한다. 그 말에 소년은 자신의 이름은 '제아'이며, 이 교회에 다닌 적은 없고 그냥 사람이 가장 안 다니는 것 같아 오늘 처음 와 봤다고 했다. 청산은 순간 두 블록 건너에 있는 병원이 생각났다. 그 병원 이름도, 제아 아니었던가.

"전 18살이에요. 신부님은요?"

"......나도 18살이야. 정식 신부가 아니라, 나도 일개 신자일 뿐이지."

"아, 키도 크고 그 천 같은 것 때문에 높은 분인 줄 알았어요! 죄송해요!"

"하늘 아래 모든 사람은 다 평등하다고 가르치시니까. 높고 낮은 게

어디 있다고. 그리고 우리 나이도 같은데 말 놓는 게 어때?"

"그, 그으래......!"

아하하, 쩔쩔매는 소년이 청산은 참 귀엽다고 생각했다. 둘은 빈 교회에서 자잘한 이야기를 나누었다. '청산'이라는 이름이 '푸른 산'보다는 '청량한 산들바람'이라는 뜻을 줄여 만든 이름이라거나, 제아는 영국계 한국인이라 이런 외모를 지니게 되었다는 것. 주근깨를 가리려고 엄청나게 노력했지만 피부가 여린 탓에 시술로 지우기도 애매하고 미백성 크림으로는 어림도 없었다는 것. 그런 자잘한 이야기를 나누며 우연스럽게 사귀게 된 친구에 수렴하고 있었다. 그렇게 수다를 떨다 보니, 자연스럽게 현재 가장 화제가 되는 MFET에 대한 이야기도 나오게 되었다.

"요즘 동네가 정말 소란스러워. 불행을 추출하는 시술이라나. 그게 유행이라지."

"응, 나도 들었어. 아니, 모를 수가 없지. 그 기술을 고안한 게 우리 엄마니까."

"아, 설마 병원 이름이 제아인 것도 네 이름을 딴 거야?"

"쑥스럽지만, 그런 것 같아. 내가 한 점 불행도 없게 살기를 원해서서. 세상을 살아가면서 그런 게 가능할지는 정말 모르겠지만."

제아는 싱긋 웃었다. 그렇게 대화가 이어질 때쯤 교회 문이 열리더니 한국인 여성이 제아를 불렀다. 제아는 짧게 아, 엄마! 라고 반응한 것을 보아 어머니로 추측되는 여성은 급하게 제아의 팔을 붙들고 그를 끌어냈다.

"아직 맞을 주사가 몇 개나 남아있는데 도망이나 친 거야?"

그리 말하다 청산을 보더니 눈살을 살짝 찌푸렸다. 그런 어머니의 눈치를 보던 제아는, "산이는 그런 사람 아니에요. 오히려 절 신경 써줬어요."라며 짧게 부인했다. 정말 아니냐는 질문에 다섯 번 정도 제아가 고개를 끄덕이자, 모친은 산에게 사과했다.

"제아가 못된 친구들에게 당한 적이 있어서 한동안 힘들었거든. 오해해서 미안하구나."

"아, 괜찮습니다. 오늘 처음 봤는걸요. 아드님이 많이 아픈가요?"

"앞으로 아프지 않게 해 주려는 것뿐이란다. 아 참, 제아가 오랜만에 사귄 친구니까 그런데, 혹시 불행추출시술 받아볼 생각 있니? 제아 친구니까 특별히 원하는 날짜에 시간을 빼 줄 수 있단다. 요즘엔 하고 싶어도 못 하는 거니까. 그게 아니라면 다른 클리닉도 받을 수 있어. 병원 하는 아줌마라 이런 것밖에 해 주는구나."

"아, 괜찮습니다."

말은 그리 했지만 청산은 괜스레 그 시술이 궁금해졌다. 때마침 친한 친구 중에 그 시술을 진정으로 받고 싶어하는 친구가 있었던 걸로 기억하는지라, 청산은 조심스레 그 친구의 이야기를 꺼내며 자신 대신 그 친구를 부탁해도 되냐고 말했다. 동시에 내일 오후, 함께 가서 시술을 구경하고 싶다고 덧붙였으며 제아의 모친은 흔쾌히 두 가지 모두를 수락했다.

"그럼, 제아를 잘 부탁해. 마주치게 된다면 잘해주렴."

어쩐지 '너는 제아를 상처입히지 않았으면 좋겠구나'로 들리는 문장을 끝으로, 제아와 그의 모친은 멀어져 갔다. 제아는 거의 끌려가듯 교회 문을 나서면서도 청산에게 어떻게든 손을 흔들며 웃어주었고, 청산 역시도 그런 제아에게 마주 웃으며 손을 흔들어 주었다. 정황상 체구가 큰 편인 자신과 '그런 사람 아니다'로 미루어 보았을 때 제아가 또래 사이에서 괴롭힘을 당했거나 안 좋은 갈등을 빚었겠거니, 청산은 그리 미루어 생각했다. 새로 사귀게 된 곱고 안타까운 친구와 수다를 떠느라 마저 드리지 못한 기도를 드린 후 청산 역시도 교회를 나섰다. 오늘 드린 기도는 자신과 제아의 몫까지, 두 배였다.

—

"산, 너 어떻게 그 수술을 당장 내일 잡았냐?! 대단하다 정말."

청산의 학급 친구, 단주가 청산의 등을 팡팡 치며 매우 기뻐했다. 나 정말 잊고 싶었던 일 있었잖냐. 이젠 대기가 거의 일주일도 걸린다길래 포기하고 있었지. — 신나서 떠드는 단주와 마주 걸으며 둘은 제아인생내과로 향했다. 청산은 문득 여러 생각이 들었다.

옆에서 걷는 친구는 청산네 반 반장으로, 성적도 높고 행실도 바르며 사교성도 좋고 활발해서 모두가 사랑하는 사람이었다. 청산은 꽤 심란했다. 이런 사람들에게도, 이런 세상에서도 불행이라는 것이 존재한다는 것이 참 무서웠다. 어디에서나, 어떻게든 사람에게 닥칠 수 있는 존재. 크게 부모가 죽지 않아도, 돈이 없지 않아도 모두 이리 힘든 건가. 속으로만 그리 생각하며 발걸음을 옮긴다. 접수처에서 산이 자신의 이름을 대자 원장 — 어제 뵌 제아네 모친 — 은 가볍게 웃으며 둘을 상담실로 안내했다.

[불행추출시술(MFET) 사전 조사 및 적합도 검사]

상담실 담당자는 단주에게 서류를 한 장 내밀었다. 단주는 그것을 청산에게 밀어 보여주며 찬찬히 빈칸을 적어 내려가기 시작했다. 이미 수천 번의 시술로 검증된 안전성이라 보호자 없이 미성년 혼자서도 시술에 동의할 수 있는 듯했다. 이름, 나이, 생일, 주민등록번호, 주소 등 간단한 인적 사항을 적고 나자, 아래에 '지우고자 하는 불행의 정확한 시기와 내용을 기재할 것'을 요구하는 가장 큰 공란이 존재했다. 청산은 자리를 비켜줄까 물었지만, 단주는 괜찮다며 고개를 내저었다.

단주는 찬찬히 글을 적어 내려갔다. '시기는 초등학교부터 중학교, 그리고 지금까지. 어릴 때 부모님이 형과 저를 너무나 많이 비교했습니다. 형은 지금 한국종합대학교, 대한민국에서 가장 높은 학교에 재학 중인 수재입니다.

형의 얼굴을 자서전이나 교양 프로그램에서 볼 때마다 너무나 밉습니다. 지금은 어머니가 돌아가셨고 형도 저에게 미안해하지만, 전 그런 형을 좋게 볼 수가 없습니다. 아득바득 형을 이기려고 노력하다 보면 내 성적이 올라도, 형처럼 친절한 사람이 되어가도 그 모든 것이 부질없다고 느껴집니다. 나를 위한 일 같지 않아 허무하고, 끝없이 형은 나 때 어땠는지 생각하게 됩니다. 이젠 저를 위한 삶을 살고 싶습니다. 형으로 얻은 불행을 지워낸다면 행복해질 수 있을 것 같습니다......'

청산은 글을 눈으로 읽으며 그 앞 글자들이 조금씩 물에 번지는 것을 보았다. 밝고 강인하며 언제나 굳세게 노력하던 제 친구가 처음으로 울고 있었다. 저번 시험에서 96점을 받았다며 힘겨워하던 그에게

'기만이다'라고 장난스레 말하던 친구들에게 단주는 어떤 마음이었을까. 그 깎여 나간 4점이 그에게는 한없이 커 보였을까. 괜스레 숙연해졌다.

그 밑으로는 개인적으로 가진 질환 여부, 개인정보 처리 동의서, 그리고 전에도 본 문구가 적혀 있었다. '본 시술을 통해 취하된 '불행'에 대하여 피수술자는 모든 권한을 포기하며, 본사에서 어떻게 사용하든 그 소유권을 포기하는 것으로 간주한다.'는 내용의 마지막 안내가 적혀 있었다. 청산은 제 앞에 앉아 서류 제출을 기다리는 담당자에게 물었다.

"뽑혀 나온 불행은 어디로 가나요?"

"어차피 모두가 필요 없다며 버리는 불행이 어디로 가는지 궁금해할 필요가 있나요? 아, 어디 공중파나 SNS 같은 곳에 떠벌리는 일은 당연히 없을 거예요. 만약 그런 일이 생긴다면 본 병원을 상대로 고소나 처벌 등 다양한 법적 대응이 가능하니 걱정하지 마세요."

담당자는 싸늘한 대답만을 남긴 채, 이내 단주의 서류를 받은 채 상담실에서 먼저 나갔다. 잠시 뒤 간호사가 단주와 청산을 제1진료실로 안내했다. 진료실에는 정말 후기들답게, 선전된 내용답게 어떠한 험악한 장비도 존재하지 않았다. 그저 편안한 소파 하나, 수액 하나. 그리고 얼굴에 착용하는 의료 장비 하나. 간호사는 단주를 소파에 앉게 한 후, 정제약 하나를 삼키도록 했다. 이내 단주의 팔에 링거를 꽂아 접착시킨 후 얼굴에 가면 비슷한 기기를 착용하도록 했다. 기기는 호스를 통해 외부 장치랑 연결되어 있었다.

"지금부터, 잊으려 노력하고 힘들었던 그 시점들을 끝없이 다시 생각해내셔야 합니다. 당신이 불행했던 그 시기를 상기하세요. 당신을 괴롭게 한 말들, 그때 타인들이 지었던 표정, 당신이 받았던 대우. 그때 얼마나 아팠고, 무슨 생각을 했으며 그린데도 지금까지 살아올 수 있었던 이유. 어떻게 살아왔는가. 그 모든 것들을 떠올리기 싫어도 떠올리세요. 지금 당장 그 시점에 돌아간 것처럼 다시 상처받고, 아파하셔야 합니다."

잔혹한 말이었다. 불행을 딛고 살고 있더라도, 불행 속에서 살고 있더라도 잊고 싶은 순간을 세세하게 떠올리기란 고문과도 같은 일일 것이다. 하물며 그것을 지우겠다고 선언한 사람이라면 예사의 아픔은 아닐 텐데도. 당사자가 아닌 청산은 조용히 보호자 대기 구역에서 그런 단주를 바라보았다. 기기에 가려진 표정은 알 수 없었지만, 그는 떨고 있었다. 간헐적으로 뭐라 웅얼거렸고, 시간이 지나면 지날수록 울음 섞인 흐느낌이 새어 나오기 시작했다.

진료가 시작된 지 2분 만에 일어난 일이었다. 저렇게 빨리 울 수 있었나? 그런 사람이 아니었던 것 같은데. 청산은 그것이 정제약과 진료기록부를 쓰면서 흔들려 있던 마음. 두 가지의 탓일 것으로 추측했다. 안면 기기의 호스를 따라 조금씩 액체들이 굴러 관을 타고 외부 기기에 축적되기 시작했는데, 그 액체는 새빨간 색을 띠었다. 단주의 눈과 닮은 선명한 붉은색이라, 청산은 단주의 눈이 녹아 빠져나오는 것이 아닐까 생각했다. 격정적인 분노의 색을 담은 체액이 계속해서 흘러나왔다. 피를 뿜어내는 것 같아 오싹해진 청산은 다급히 간호사에게 물었다.

"채혈인가요? 그렇다고 해도 저렇게 피를 뽑으면......"

"그럴 리가요. 피를 뽑을 거였다면 팔을 사용했죠. 저건 눈물입니다. 정확히는 감정 상태를 그대로 담고 있죠. 저희의 연구 결과에 따르면, 사람의 체액은 그 사람의 감정과 상태, 그 당시의 기억 등 많은 것을 안고 있다고 합니다. 불행은 그중에서도 대개 분노, 슬픔 등 부정적인 감정을 유발하는데, 그것이 인간이 느끼는 감정 중 꽤 강력한 축에 속하거든요. 다시는 기억나지 않을 정도로, 쌓여있던 것을 뽑아내야 하는 거죠.

동시에 우리 병원에서 개발한 특수 수액을 통해 그 체액을 보충합니다. 수분부터, 그 고통 섞인 액체를 모두 뽑아낸 자리를 채워 줄 안정제 성분의 약물을 섞은 수액입니다. 동시에 사람의 감정을 격하게 하여 계속 눈물을 뽑아내도록 촉진하는 역할도 하고 있습니다. 지쳐서 탈진할 때까지, 계속 진행되는 겁니다. 불행을 비워내고 빈 공간을 채워 넣는 거죠. 적당한 양의 망각제도 들어 있어 마저 내보내지 못한 고통도 깔끔하게 마무리해낼 수 있을 겁니다."

단주는 거의 울부짖는 듯이 비명을 질렀고, 그렇게 뽑혀 나온 붉은 눈물은 외부 기기의 유리병 한 통을 채워가는 지경에 이르렀다. 넘칠 정도의 양이 되자 다른 병으로 갈아 받아냈는데도 반 병이 더 나왔고, 이내 너무 많은 에너지를 쏟았는지 단주는 그 자리에 엎어졌다. 쓰러진 단주를 확인한 간호사기 다른 산호사 한 명을 더 호출하여 단주를 부축하고 회복실로 향했다. 눈 아래 흘러 말라붙은 붉은 눈물 자국, 미처 닦아내지 못한 눈물과 호스관에서 넘쳐 삐져나온 물들이 섬뜩한 바닥 광경을 이루었다. 다른 간호사가 또 들어와 병을 수거하는 동시에 청산을 단주의 회복실까지 안내해 주었다.

단주가 깨어나기를 기다리며 청산은 회복 병동을 나와 본병원 이곳저곳을 둘러보았다. MFET의 선전 문구들이 구석구석에서 보였다. [더 이상 불행에 고통받지 마세요.] [불필요한 눈물을 흘리지 마세요.] [행복만이 가득한 삶을 위하여.] [영원한 행복을 위하여.] 분명 사람들을 격려하고 응원하는 듯한 문구였지만 '영원한 행복'이라는 말에 다다르니 마냥 따뜻한 문구들로만 보이지는 않더란다. 그 이유를 고민하고 있던 청산에게 누군가가 대기 구역에 쌓여있을 녹차 티백을 넣은 따뜻한 물을 건넸다. 고개를 돌려 보니 잠시 휴게를 나왔는지, 미소를 짓고 있는 원장이었다.

"시술을 직관하니까 어땠나요?"

"정말 어떠한 칼도 대지 않네요. 어떻게 저런 게 가능한 거죠?"

"기술의 발전이자 은혜죠. 훨씬 윤택한 삶을 위한 인간들의 끝없는 갈망이자 이룩이고."

청산은 녹차를 받아 작게 들이켰다. 어디서나 볼 수 있을 법한 티백 녹차에서는 옅게 현미 맛도 같이 났다.

"이런 시술이 있다면 불행은 완전히 박멸될 수 있을까요?"

"적어도 불행할 때마다 그것을 제거할 순 있지 않겠어요? 위로금으로 생각하고 돈도 벌 수 있고요. 보상금 같은 개념이죠. 생길 때마다 지우고, 생길 때마다 지운다면 웃고 행복했던 기억만 남을 수 있을 거예요. 우리 약물은 연합정부에서 승인까지 받은 바 있으니, 중독성이나 부작용 걱정은 없을 거랍니다."

"아, 혹시 정제약은 어떤 역할을 하는지 알 수 있나요? 링거액은 설명을 해주시던데 말이에요."

"정제약은 일종의 소독약입니다. 나오는 체액의 오염 물질을 자가 박멸하는 거죠. 항생제나 소독제 생각하면 얼추 맞을까요. 깨끗한 눈물을 얻을 수 있게 해주고, 동시에 복용자의 감정을 불안정하게 하는 촉진제이기도 하죠. 그 부분에서는 링거와 같은 성분이에요."

눈물을 소독하는 이유가 궁금했지만 추출된 불행으로 무엇을 하는지에 답하지 않은 원장을 생각하면, 같은 맥락이겠다고 청산은 생각했다. 소독하여 사용하려는 것이겠지. 무엇 하러? 이 수술은 돈도 받지 않고, 오히려 돈을 줘가면서까지 불필요하다 선전하던 불행을 사들인다. 순간 꺼림칙하다는 기분이 들어 청산은 서둘러 자리를 피해 단주가 회복 중인 병동으로 돌아가기로 했다. 인사도 드리지 못한 것이 무례했지만 인간의 직감은 그보다 앞서고 있었다. 원장도 다시 업무에 복귀해야 해 그를 잡지 않았다.

다시 회복 병동으로 추정되는 건물에 발을 들인 순간, 분명 나온 구조와는 다른 구조가 청산을 반겼다. 엘리베이터가 있어야 할 로비에는 비상계단만이 존재했고, 단주가 있던 병동에 비해 훨씬 더 규모가 작았다. 15층까지 있었던 것 같은데, 4층까지밖에 없었다. 길을 잘못 들었던 걸까. 청산은 이리저리 헤매며 열려있는 병실이 없을까 눈으로 훑으며 돌아다녔다.

사람의 기척도 간병인의 기척도 없는 신축 건물은 기계 돌아가는 소리만이 들렸다. 알 수 없는 기계들만이 소음을 내며 자동으로 돌아가고 있었고, 개 중 몇 개는 거대한 자외선 컵 소독기 같은 형태를 띠고 있으며 여러 색깔의 물약이 든 유리병들을 보관하고 있었다. 빨간색, 초록색, 파란색, 보라색 등 쨍한 색감의 물약들은 그다지 유쾌한 빛이 되지 못했다. 청산은 호기심이 들어 이 건물을 조금 더 돌아보기로 했다. MFET에 대한 실마리가 이곳에 있을 것만 같았다. 이 병원 사람들은 무엇을 추구하는 것일까? 그리 생각하며 2층으로 올라서니 복도 없이 작은 방 한 개만이 존재했다. 그 위층은 '관계자 외 출입 금지' 라는 식으로 셔터가 내려가 막혀 있었다. 독방과도 같은 방의 문은 작은 유리가 덧대져 있었기에, 청산은 그 유리를 통해 안을 들여다봤다.

그 유리 안에는, 작고 흰 병실이 펼쳐져 있었다. 두꺼운 문 너머로 새어 나오는 소란스러운 기계음, 거치대에 마치 풍선처럼 널려 있는 빨간색, 초록색, 파란색, 보라색 등 불쾌하고 선명한 색을 풍기는 링거액, 그 액체 주머니에서 나오는 튜브들을 따라가면 한 사람에게 모두 연결되어 있음이 보였다. 그 사람이, 누구인지 청산은 모를 수가 없었다. 교회 창문으로 들어오던 옅은 햇빛에 유독 반짝이고 곱슬이던 금발에, 고운 인상. 흩뿌려지듯 안면을 수놓는 주근깨.

제아는 한 팔에 링거를 서너 개, 종합하여 약 예닐곱 개 되는 것을 제게 투여받고 있었다. 눈을 감고 있어 자는 것처럼 보이지만 그것이 전혀 편안해 보이지는 않았다. 앓듯이 신음하고, 싫어요, 하지 마세요. 따위의 거부를 표방하는 짧은 문장들을 읊는 제아에게, 자비 없게도 크지 않은 크기의 튜브들에서는 순식간에 액체들이 차례차례 쏟아져 내렸다.

하나, 둘, 셋, 넷...... 튜브가 비워짐에 따라 제아의 작은 입에서 비명이 점층적으로 크게 튀어나왔다. 마지막 링거액까지 모두 떨어져 내려 형형색색의 링거액들이 모두 사라지고 얇은 비닐들만 남았을 무렵, 가장 크게 비명을 지르며 사경을 헤매듯이 떨고 있었다. 침대와 가까운 협탁이 침대 머리와 마찰하며 쿵 쿵, 소리를 냈다. 그 모습이 너무도 고통스러워 보여, 안쓰러워 보여...... 두꺼운 문고리를 돌려봤지만, 안에서 잠긴 듯 철컥이는 공허한 소리만이 울렸다. 이에 청산은 무의식적으로 자신의 처지를 잊고서는, 몰래 들어왔다는 것을 광고라도 하듯 주먹질을 하며 문을 두드렸다. 강한 타격음이 좁은 건물 안으로 계속해서 진동했고, 몇십 초를 넘어 지속되는 철 울리는 소리에 제아는 그제야 정신을 차리듯 퍼뜩 상체를 일으켜 문을 응시했다.

청산의 얼굴을 보고선, 화들짝 놀라 급히 링거 바늘을 팔에서 뽑아내고 침대에서 빠져나오는 제아다. 문이 열리고, 제아가 입을 떼어 '여긴 무슨 일로, 어떻게......' 따위의 서두를 떼기도 전에 윗 계단에서 사람 내려오는 발소리와 말소리가 들리기 시작했다.

"네가 문 두드린 것 때문에 위층 경비 아저씨들 다 오게 생겼잖아......!"

"아니, 네가 그 꼴인데 어떻게 신경을 안 써?!"

가까워지는 발소리에 퍼뜩 청산을 끌고 제 병실로 돌아가, 급하게 옷장 안으로 밀어 넣었다. 갈아입을 환자복 서너 벌만이 옷걸이에 걸려 있어, 넉넉한 옷장이었지만 체구가 큰 청산에게 여유롭지는 못했다. 원목의 나무 냄새와 조금의 소독약 냄새. 어둡고 작은 공간에서 숨을 죽이는 동안 옷장 너머로는 제아와 성인 남성 여럿이 대화하는 소리가 드문드문 들렸다.

"아무 일도 없었어요, 아저씨. 오늘 약이 좀 독해서 잠결에 난동이라도 부렸나 봐요. 소리가 좀 컸나요? 하지만 이건 제가 어떻게 할 수 있는 문제가 아니라서요. 번거롭게 해 드려 죄송해요."

그 말 이외에도 흐릿하게 몇 마디가 더 오고 간 후, 문이 다시금 잠기는 소리와 함께 옷장 문이 열어젖혀지며 제아가 나오라는 듯 손짓했고, 청산은 구겼던 몸을 피며 나온 후 침대 끝에 걸터앉았다.

"여긴 어쩌다가 들어온 거야? 네가 여기 왜 있어?"

"친구가 오늘 시술을 받았는데, 요양 병동으로 가려다가 길을 잘못 들어....."

"그렇다고 해도 원래는 문이 잠겨 있을 텐데...... 관리인 아저씨가 또 문단속을 이상하게 했나 보네. 뭐, 그래서 나도 저번에 교회로 도망칠 수 있었던 거지만."

급히 바늘을 뽑느라 엷게 피가 송글 배어나오는 제아의 팔을 보던 청산은 제가 두르던 천을 풀어 제아의 팔을 짓눌렀다. 희고 얇은, 청산의 체구를 가리고 내려올 정도로 넉넉한 천에 붉은 자욱이 하나둘, 남기 시작했다.

"이러면 네 천이 더러워지잖아."

"빨면 그만인 걸 뭐. 그나저나 이건 다 뭐야? 왜 네가 이것들을 다

받아내고 있는 거야?"

"말하자면 좀 길어."

제아는 호흡을 고르고선 말을 이어 나갔다.

"외모 때문에 여러모로 어릴 때부터 아이들에게 따돌려지고 놀림을 당했어. 주근깨가 한몫했고, 인종차별이 종지부를 찍었지. 얼굴에 깨를 뿌린 거 아니냐고, 먼지 박힌 거 아니냐고. 더럽다고. 그런 식으로 놀려지다가 후에는 양키니 뭐니, 혼혈인 걸로 놀려지고, 나중에는 남자애 주제에 여자 같다고도 놀려졌어. 따돌려지고, 괴롭혀져서 사람이 무서워지더라고. 결국 중학교까지 졸업하고 검정고시를 친 뒤 집에서 지내게 됐어.

우리 어머니는 사람들을 두려워하는 나를 보며 힘들어하셨고, 그런 내가 그 기억을 잊고 행복하게 살아갔으면 좋겠다고 생각하며 이 시술을 만들었어. 그런데 나는 이상하게 몇 번을 그 시술을 해도 그 기억이 남아 있어. 약물에 내성이 있는 소수 체질이었던 거지. 그걸 몰랐기에 두세 번 더 했는데, 오히려 나중에는 항체와 면역이 생겨서 약이 아예 듣질 않았대.

그래서 우리가 택한 방법은, 수많은 사람의 불행을 모아서 나에게 주사하는 거였어. 잊을 수 없다면 먼저 모두 겪으라는 거지. 사람에게서 추출해낼 수 있는 만큼, 사람에게 주사하면 그걸 그대로 이식할 수도 있더라고. 물론 내가 실제로 겪는 것은 아니지만 머릿속에선 그 상황에 처했을 때의 고통이 그려지니까. 실제로는 아니어도 직접 당하는 거야. 그럼, 실제로 내가 당하게 되더라도 일어날 수 있을 테니까. 일종의 면역이 생길 테니까. 그래서 수많은 사람의 불행을 종류별로 주사 당하고 있었어. 엄마는 나를 통해서, 불행에 무너지지 않는 사람을 연구하고 있는 거지."

제아는 살풋 웃었지만, 청산은 웃을 수기 없었다. 불행에 무너지지 않는 인간이라는 것이 존재하는 것일까? 어찌 보면 현명하긴 하다. 2050년대에 이르고 수없이 세상이 풍족해져도 우리는 여전히 상처를 받는 사람들로서 남아있다. 세상과 우리의 고통은 생각보다 관련이 없었다.

문제는 우리에게 있었다. 서로를 끊임없이 비교하고, 함부로 상대를 낮춰 보며 상처입히다가 가끔 정을 준 것이 떠나가고, 돌이킬 수 없는 실수로 사회 속에 낙인이 찍히기도 하고. 그것들이 우리를 무너뜨리고 괴롭게 하는, 일종의 일상 질병으로서 기능했다. 그러니, 차라리 우리가 강해진다면. 그런 몇 가지 사건에 괴로워하며 숨고 쓰러지며 울지 않는다면. 그런 강인한 인류가 된다면 우리는 불행하지 않을 수 있을까. 오래 아프지 않고, 마치 주사를 맞고 만 듯이 지나칠 수 있게 될까. 잊어버릴 수 있을까.

"그래도, 일어나지 않은 일들까지 미리 짐작하고 너무 아파하기엔 지금의 제아 네가 너무 괴롭잖아. 내가 남의 삶과 감정을 다 알 순 없다지만, 네가 일단 괴로운 건 사실이잖니. 아팠을지언정 다음 아플 것만 생각하고 살기엔 너무 아깝잖아...... 세상에 그런 고통만이 있는 건 아닐 텐데."

"산은 이런, 잊고 싶은 불행이 없어? 저번에도 시술을 받지 않아도 괜찮다고 말한 걸 보면 꽤 괜찮은 인생을 살았나 보네. 낙관적인 전망을 말할 수 있는 걸 보면."

더 이상 천에 혈이 배어들지 않고, 천에 묻은 선혈이 까맣게 말라붙어 가고 있었다. 청산은 고개를 내저었다. 세상에 후회 없는 삶을 살았다 자부할 수 있는 사람이 얼마나 있을까. 단지......

"내가 잊고 편해질 자격이 있는 게 아니라서 그래."

"무슨 말인지 궁금하네."

"어렸을 때, 친구 하나를 크게 다치게 했어. 화가 많은 성격이었거든. 무슨 이유로 그 아이를 죽도록 패 버렸는지 지금 기억도 안 나는 걸 보면 별일도 아니었던 모양이야. 그날따라 마음에 안 들었거나, 말을 실수했거나 따위의 지극히 유치한 문제였겠지. 체격이 큰 편이었던 내가 한 대 때리는 것과, 공부만 열심히 하던 애가 한 대 때리는 것의 크기는 달랐어. 결국 수술을 할 정도로 큰 상처를 입히고 정학을 당했지.

잊고 싶은 기억이고, 잊으면 편해지겠지만 잊을 수가 없었어. 용서를 빌 용기도 없어서 신에게나 빌고 있어. 연락처도 모르고 어디에 있는지도 몰라서, 이젠 용서를 빌 수도 없어졌지. 그렇게 빌면서 교회를 다니며 만난 신부님들을 보면 한없이 다정하고 화도 잘 내지 않는 것 같아서 그 모습을 모방하며 살아보기로 마음먹었어."

"그래서 면사포를 쓴 거구나."

"좀 과하기 해도, ¹ 나름 이길 쓰면 큰 덩치도 천 덕에 좀 가려져서 괜찮았으니까. 불행에도 종류가 많아서, 잊고 이겨내야 하는 불행이 있지만 평생 지고 가야 할 불행도 있잖아. 난 이 시술을 받을 자격이 없었거든."

제아는 가만히 청산을 바라보았다. 둘은 한참 말이 없었다. 저물어 가는 노을의 빛이 좁은 병실의 창문으로 새어 들어오는 것만이 정적을 달래고 있었다.

"힘들었겠네."

"그렇기에 이렇게 노력해서 살고 있잖아. 더 잘하려고. 이겨낼 자격은 없지만, 사람을 패버린 그런 사람으로만 남지는 않으려고. 난 그렇기에 네가 두려워하지 않고 살았으면 좋겠어. 분명 괴롭혀진 과거가 존재하지만 모든 사람이 너를 그렇게만 대우하진 않을 테니까."

"하지만......"

말을 끊듯 청산의 핸드폰이 울렸다. 제아의 받으라는 눈치에, 청산은 조심스레 전화를 받았다. 보아하니 정신이 돌아온 듯했고, 이젠 멀쩡해졌는지 큰 목소리로 도대체 어딜 간 거냐는 면박이 이어졌다. 어찌나 큰 목소리인지 핸드폰 밖으로도 소리가 새어 나가 제아에게도 들릴 지경이었다.

"돌아가 봐. 네 친구가 기다려."

제아는 싱긋 웃으며 등을 떠밀었다. 좋은 말 고마워. 아직은 잘 모르겠지만, 생각해볼 테니까. 네가 여기 오래 있다가 들키기라도 하면 좋지 않을 거야. 그런 다정한 말에 청산은 머뭇이다가도 몸을 일으켜 조심히 병실을 빠져나갔다. 붉은 꽃잎 같은 혈 자국이 묻은 사포를 아무렇게나 구겨 손에 쥐고, 마지막으로 손을 흔들어 주자 제아도 손을 흔들어 주었다.

건물을 벗어나니 옆 동이 바로 아까 내려왔던 회복실인 듯했다. 자신이 들어갔던 건물은 '관계자 외 출입 금지' 라고 된 건물이었다. 문이 열려있었던 것은 문단속을 못 한다는 경비와의 우연의 일치였던 듯했다. 긴 녹색 머리를 흩트리며 단주의 회복실까지 한달음에 달려가자 일어나 있던 단주가 제를 맞이했다.

"어디 갔다 온 거야?!"

"아...... 잠시 산책. 단주 너는 괜찮아?"

"응. 뭔가를 잃어버린 느낌인데, 되찾아야 한다는 생각이 들지 않는 걸 보면 잘 잃어버렸다는 생각이 들어. 무언가 해결된 듯 비고 후련해. 다시 출발하는 기분이 들어."

확실히 안색은 좋아 보였다. 청산은 웃으며 조금 더 쉬라며 단주를 눕히곤 옆에 앉았다.

"산아."

"왜 불러?"

"내 불행은 어디로 갔을까?"

"......그러게."

환자들은 자신이 이전에 무슨 일을 겪었는지는 기억하지만, 강하게 겪은 부정적인 감정에 대한 본능적인 반감으로 그 공란을 이상하게 겪지 않는다고 한다. 단주 역시도 안 좋은 일이 인생에 있었구나 정도를 인지하지만, 그것을 수복하고 싶지 않은 듯했고, 기억부터 감정까지 어떠한 것도 남지 않은 듯했다. 청산이 단주에게 그의 형에 대해 이야기하자, 단주는 "좋은 형이지! 아, 지금 보고 싶네."라며 제 형에게 아무렇지도 않게 전화를 걸었다. 어떠한 부정적인 감정도 없이 깨끗하게 씻겨진 어조였다. 자신이 MFET를 받고 지금 회복실에 있다고 해맑게 전화한 지 몇십여 분 만에 단주의 형이 한달음에 병실로 달려왔다.

형은 많은 생각이 드는 얼굴이었다. 단주를 보며 어쩔 줄 몰라 하다가, 이내 단주가 아무것도 모르겠다는 듯 웃어주며 제 이름을 불러주자 갑작스레 울음을 터뜨렸다. 그러며 단주를 안아주곤, 연신 미안하다고 말했다. 청산은 그것을 바라보았다. 비교를 당한 것만이 문제지, 형은 좋은 사람 같았다. 얼마 만에 안아보는 거냐고, 얼마 만에 보는 웃음이냐고. 그렇게 울며 두 형제가 시간을 보내는 것을 멀찍이 지켜보던 산은 조용히 자리를 비켜주기로 했다.

청산은 집으로 돌아가 MFET에 대해 검색해 보았다. 시술이 상용화된 지 이제 2주에 가까워지는 시점, 사람들의 의견이 점차 엇갈리고 있었다. 수많은 사람이 시술에 대한 평가와 후기를 남겼고, 여전히 MFET는 과반수의 사람에게 아주 좋은 평가를 받았다. 세상을 살 수 없을 것 같아하던 사람들, 살다가도 문득 괴로워져 힘겨워하는 사람들. 그들에게 이 시술은 삶을 마저 살아갈 힘을 내어 주었다. 듣기로는 몇 달 뒤, 청소년교도소를 대상으로 하여 아이들을 선별한 후 올바르지 못한 성장으로 인해 잘못된 가치관을 가진 아이들을 교화하는 데에 이 시술을 사용할 예정이 있다는 말까지 들려왔다. 가정 학대 등의 요인으로 웃자란 아이들에게 그 근원을 없애면 마치 없던 일처럼, 깨끗한 아이들로 돌아가 사회에 올바르게 섞일 수 있지 않겠냐는 한 전문가의 말이 근원이었다.

그러나, 해당 수술로 삶을 망쳐가는 사람들도 있었다. 불행이 닥칠 때마다 족족 뇌에서 지우고 마음에서 지워버리니, 같은 류의 불행을 마주칠 때마다 또 면역 없이 주저앉곤 했다. 상처받은 것을 딛고 일어서는 법, 그런데도 살아가는 법을 잊어버렸으니 당연했다. 결국 같은 일로 아프더라도 그것을 해결하거나 딛어 넘기려는 노력 없이 뱉어버리기만을 반복했다. 제아인생내과 측에서도 이러한 중복되는 불행은 이제 받지 않으려는 듯 시술 이력이 있는 사람들을 대상으로는 돈을 받겠다고 선언하는 등 여러 패널티를 제공했지만, 이에 반발하면서도 그들은 계속해서 고통을 받는 족족 뱉어버리기를 택했다. 신발을 신게 되면서 맨바닥 하나도 맨발로 걷지 못하게 된 어느 동화 속의 꽃신 원숭이가 생각나는 것도 같은 광경이었다. 진보된 기술이 인간을 퇴보시킨다는 식의 시사평도 난무했다.

청산과 같이, 이러한 식으로 추출된 불행의 사용처를 궁금해하는 사람들도 있었지만, 그 사용처의 진실을 조금이라도 근접하게 사고해낸 사람은 없었다. 오로지 청산만이 아는 사실이었으며, 그 누구도 믿지 않을 사실이었다. 불행은 폐기해야 하는 것. 그것이 병원도 대부분의 사람들도 추구하는 방향성이었으니까. 그냥 알아서 버린다는 뜻이겠지로 생각하는 듯했다. 이런저런 말과 글들을 두루 보던 청산은 지끈거리는 머리에 결국 모니터를 끄고 자리에 누웠다.

그 불행을 모두 접종받은 제아의 앞날엔 정말 큰 아픔 하나 없는 세상이 펼쳐질까? 먼저 모두 겪어보고 앓아보는 것이 나은 것인가, 아니면 겪고 지우는 것이 나은가. 그것도 아니라면 지금까지 그래왔듯 모두 떠안고 힘겹게 살아야 하는가. 수많은 사람만큼 수많은 삶이 존재해서, 점점 되새길수록 착잡해지는 마음을 안고 멍하니 피 얼룩이 진 천만을 바라보고 있었다.

세탁기를 열고, 표백제를 들이부은 뒤 천을 함께 넣고서 청산은 하루를 마무리했다.

MFET가 도입된 지 두 달이 넘어가고, 그동안 청산은 당연히도 제아와 만날 일이 없었다. 병원으로 향해볼까 고민하다가 끝내 용기를 내어 몰래 그 건물로 향하면, 언제나 문이 잠겨 있었으며 교회에 제아가 다시 오는 일도 없었다.

그렇게 복잡한 마음도 사그라들어갈 만큼의 시간이 흐른 후, 청산은 여느 때와 다름없이 단주와 함께 등교했다. 단주는 집을 나서며 형에게 기쁘게 인사했고, 형도 웃으며 단주의 가방 지퍼가 열렸다며 닫아주었다. 폭발적인 참여에 충분히 불행이 종류별로 모인 건지, 제아인생내과는 1주 전부터 진료 이후에 금액을 지급하는 것은 중단하고 돈을 받는 식으로 변경하였다. 사람들은 그 금액이 자신의 불행 값이라도 되는 듯 커뮤니티에서 이런저런 비교를 하며 자기 자신을 불행한 사람으로 못 박기도 했다. 내 아픔은 몇십만 원어치였다는 식으로. 이상한 세상이라며 단주와 청산은 킥킥대며 학교를 향해 걸었다. 불행하기 싫다는 사람들이 이럴 때는 그것을 자랑인 양 이런저런 비교 하고 있었으니까.

"자, 오늘은 전학생이 올 예정이다."

소란스러운 조회 시간, 모두를 침묵시킨 담임의 발언이었다. 학생들은 예상치 못한 소식에 이내 모두 고개를 정면으로 향했고, 모두의 침묵 속에서 앞문을 열고서 곱상하게 생긴 소년이 교탁을 향해 올라왔다. 적어도 청산은 그것이 누군지 알 수 있었다. 노란 곱슬머리, 녹빛 눈에 그 아래로 내려앉은 주근깨. 바람이 내려앉을 수도 있을 것 같은 속눈썹에 아담한 체구. 교복은 반듯하고 이제는 양팔에 어떤 접종 스티커도 없는 말끔한 아이.

"안녕하세요. 2학년 B반에 새로 전학을 오게 된 제아입니다!"

아이는 밝은 미소를 지으며 모두에게 신고했다. 순식간에 반 아이들은 술렁였다. 한창 이슈가 되고 있는 MFET, 그 기술의 소유병동인 제아인생시술내과를 생각하면 뭐라도 연관이 있을 거라고 생각한 것이다. 그렇기에 1교시 시작 전 쉬는 시간이 되자마자 아이들은 순식간에 제아의 자리로 몰려들었다. 제아는 앉은 자세로 아이들이 자신을 둘러싸는 구도를 취하자 이전의 악몽이 생각났는지 흠칫 떨고 있었다. 목적은 단순 궁금증이겠지만 학교폭력을 트라우마로 가진 아이에게는 참 가혹한 관심이다.

"제, 제아야. 선생님이 서류 하나 덜 냈다고 잠시 교무실로 오라는데."

청산은 기지를 발휘했고, 제아는 그 기시를 알아봤다는 듯 화색을 띠며 고개를 끄덕이곤 청산을 따라 소란스러운 교실을 빠져나갔다. 둘은 운동장 근처에 걸터앉아 오래 된 안부를 물으며 얼마 가지 않은 짧은 여유를 나누었다.

"이젠 주사는 맞지 않는 거야?"

"응. 내가 설득했거든."

"어떻게? 이런 건 의미 없다는 식으로?"

"정확히는, 겁먹고 살지 않아도 될 것 같다고. 용기 내 보고 싶다고 말했어. 결국 불행이라는 건 인생의 평균치보다 조금 더, 가끔은 조금 크게지만...... 그래도 그것보다 조금 더 암울하고 힘들 때를 말하는 거잖아. 반대로 말한다면 그런 일만 일어나는 인생은 없을 거라고 설득했어. 네 말을 잊을 수가 없었거든. 행복하니까 불행하고, 불행했으니까 행복한 거잖아. 이 세상 모든 불행을 내가 다 지려고 들어도, 세상에 있는 불행은 너무 많아서...... 내가 겪을 일 없는 불행들도 있으니까. 끝없이 고통만 받기에는 비효율적인 것 같다고 생각했어."

"엄청난 용기를 냈네."

"난 불행을 빼낼 수 없으니까. 피할 수 없다면 즐기진 못해도 견뎌는 보려고."

제아는 웃었다. 청산도 마주 웃었다. 분명 이 시술로 누군가는 정말 순수히 덕을 봤고, 누군가는 이 시술에 얽매여 살아갈 것이다. 누군가는 불행을 마주 보고 격파하며 살아갈 것이지만 누군가는 그것을 떠안은 채 웅크려 살아갈 것이다.

기술이 발전하고 세상이 변해도 우리 인생이 평탄해지는 일은 없을 것이다. 물질적인 면으로 해방될지언정 더불어 살아가는 사회의 일원으로써 마찰 하나 없이, 실수 후회 한 점 없이 살아가는 것은 불가능하니까. 1회차뿐인, 모두가 처음 사는 인생. 넘어지고 고통받을 것이 뻔하니까.

감기를 접종할 수 없듯이, 불행이 질병이라면 감기가 아닐까. 청산은 그렇게 생각했다. 너무 많고, 가끔 사람을 죽일 수는 있을지언정 대부분은 그냥 앓고 넘어가는. 걸리면 성가실 것을 알고 가끔은 열이 펄펄 끓겠지만 그걸 알아도 그냥 살아야 하는 질병. 극복한다고 모든 감기 바이러스를 예방 접종 맞는다고 한다면 너무나 비효율적일 질병.

"세상 누군가가 널 미워했다면 누군가는 널 사랑하겠지."

"그랬으면 좋겠어. 너무 아무것도 아닌 이유로 미움받았으니까."

"그럼, 누군가는 아무것도 아닌 이유로 너를 좋아할 거라니까. 이유 없이 불행했다면 이유 없이 행복해질 수도 있겠지. 네가 낸 용기는 절대 헛되지 않을 거야."

청산은 여름 햇볕에 따뜻하게 달구어져 가는 노란 곱슬머리를 쓰다듬었다. 새싹빛 녹빛 눈동자가 어이없다는 듯 청산을 꼿꼿게 노려봤고, 청산은 웃었다. 그런 한가함을 깨부수는 것은 예비종과 함께 사라진 둘을 찾으러 나온 반장, 단주였다.

"야 이것들아, 빨리 안 들어와?!"

반장의 내리 갈굼에 그들은 황급히 교실로 뛰기 시작했다. 바야흐로 여름이고, 인생의 5분의 1도 지나지 않을 청춘의 시대. 몇 가지 불행에 앓아눕기에는 생각보다 친란한 세상이 펼쳐질 시기. 감기 따위에 앓다 죽기엔 튼튼한 면역이 버틸 시기의 우리. 맞서 싸울 수는 없을지

언정 허무하게 쓰러지지는 말자. 걸리지 않고 살 수는 없을지언정 그
것이 인생의 전부라고 생각하며 살지는 말자.

　불행 또한, 다 지나가는 열병이고 감기일 테니.

괜찮아,
힘들어도 우린 할 수 있어.

주정선

주정선   정선씨는 겉보기에는 일반사람처럼 생겼다. 그렇지만 자폐 스펙트럼 장애 중 아스퍼거 증후군을 가진 장애인이다. 그렇지만 정선씨는 그 많은 발달장애인 중 몇 없다는 IT 학과를 전공을 한 IT 전공자이다. 하지만 대한민국의 일반 사람들은 정선씨의 능력을 알지 못한다. 쉽게 말하자면 장애를 장애로 볼 뿐이다. 그렇기에 정선씨는 에세이라는 글로 대한민국이라는 세상을 뒤집으려고 한다. 글 쓰는 거야 뭐 어렵기야 할까? 정말 세상의 놀랄 노 자다.

blog: blog.naver.com/juejhoon

email: uejhoon@naver.com

우리 엄마 명순씨의 파란만장한 인생스토리

명순씨는 평범하고 부지런한 전라남도 나주 출신의 시골사람이다. 다만, 자녀들에게는 그저 단순한 옛날 시골사람으로 생각한다. 그렇지만 정선씨가 생각하는 명순씨는 정말이지 옛날 시골사람 치고는 대단한 사람이다.

명순씨의 파란만장한 인생스토리는 우리 나라 대한민국의 산업화 시대인 1960년대로 거슬러 올라간다. 1960년대 당시 대한민국은 6.25 전쟁 휴전협정 후 3~4년이 흐르고 산업화를 막 이루려던 시기이기도 하다. 명순씨는 어수선하고 복잡한 대한민국의 시골에서 2남 6녀 중 4번째 딸로 태어나게 되었다. 명순씨의 파란만장한 인생스토리가 시작되었다. 우리 엄마 명순씨는 외할머니께서 출산하실 때 아들인 줄 알았는데, 또 딸이라고 천에 싸여 방 한 쪽 구석에 두셨다고 한다. 요즘에는 먹고 살기 좋아졌다고는 하지만, 당시에는 전쟁이 끝난 직후라

나라 형편이 썩 좋지 않은 시기였고, 출산율도 지금보다 더 높았던 시기이기도 하는데, 시골에서는 먹고 살기 위해서는 자녀들을 많이 낳았던 것으로 알고 있다. 그 어려웠던 시기에 명순씨가 태어나고 자라 어느 새 8살짜리 작디작은 여자아이가 되었다.

그 당시에는 먹을 것이 귀했던 시기라 체격이 굉장히 작았다고 한다. 그리고 집안 형편 상 지금은 상상할 수도 없겠지만 우리 엄마 명순씨는 그 나이 때부터 집안 일을 하며 학교에 등교하는 일상을 살게 되었고, 17살이 되어 지방인 전남 나주에서 대도시인 서울로 홀로 상경을 하셔서 일이라는 일은 전부 하셨던 것으로 알고 있다. 그 당시에는 산업화 시기라 기업들이 인력을 최대한 많이 채용했을 때였고 지금 시기에는 상상도 못하겠지만 기업들 마다 목표했던 제품 생산량을 맞추기 위해 직원들이 밤새워야 했던 시기였다고 한다.

그런 산업화 시기를 거쳐서 1980년대로 흘러갔다. 1980년 5월 전라남도 광주에서 상상도 못했던 민주화 운동이 일어났다. 당시 대한민국은 박정희대통령에서 전두환 대통령으로 정권이 넘어가려던 시기에 상상도 못할 어마어마한 사건이 벌어졌다. 명순씨는 당시 서울에 계셨던 터라 어찌 된 일인지도 전혀 몰랐을 것 같았다. 텔레비전 뉴스로 소식을 듣기 전까지 말이다.

그리고 시간이 흘러 1986년 4월 5일 드디어 명순씨는 서울 청년과 혼인을 하여 첫 번째 자녀를 임신을 전하게 되어 출산까지 10개월 동안에도 마늘 껍질을 까는 부업일을 하셨다고 한다. 뭐. 1980년대에도 나라 사정이 썩 좋지 않았을 때니까 살기 위해서 뭐든 하셨던 것 같다. 1987년 1월 2일 이 이야기의 주인공인 아프지만 해맑은 정선씨가 태어나게 되었다. 그리고 그 뒤 이야기는 정선씨와 명순씨의 이야기이다.

정선씨의 출생과 복잡한 인생 이야기
그리고 장애인의 시선에서 본 대한민국의 현실

정선씨는 겉보기에는 비장애인처럼 생겼다. 그렇지만, 정선씨는 자폐 스펙트럼장애. 즉 자폐성 장애다. 그렇지만 이 장애 범주로는 자폐 증상 범위가 너무 넓다. 그렇기에 세부적인 장애 범주인 아스퍼거 증후군으로 밝히고 싶다. 그렇기에 이 이야기는 아스퍼거 증후군을 가진 정선씨에 대한 이야기와 대한민국의 장애인 관련 법안 조항과 대한민국에 거주하고 있는 모든 장애인분들과 장애 아동을 돌보는 부모님들께 응원 한마디를 남겨본다.

정선씨가 태어났을 1987년 1월 2일 출생 당시에는 신체 발달과정과 감각적인 이상 증상이 없었다. 평범한 신생아인 것처럼 보였다. 아주 잘 성장하는 것 같았다. 박종철 고문치사사건과 6월항쟁사건도 거치고 대한항공 KAL기 납치사건도 거치고 전두환대통령이 물러나고 88 서울올림픽을 거친 후 불과 생후 36개월이 지난 시점까지 말이다. 명순씨 집에 놀러 온 지인이 정선씨의 자폐 의심 증상을 명순씨에게 알려주기 전에 말이다. 그런데 명순씨는 갑작스럽게 의심을 하게 되어 무작정 서울로 전철을 타고 병원으로 갔다.

1989년 당시에는 대학병원도 발달센터 같은 재활치료시설이 많지 않던 시기이다. 명순씨는 어린 정선씨를 업고서 서울 혜화역에 있는 대학병원으로 찾아갔다. 갑작스러운 의심 증상의 원인과 진단을 위해서 말이다. 그 당시에도 소아정신건강의학과가 있었는지는 모르겠지만, 주로 이비인후과를 많이 갔었다.

그때 소아정신건강의학과로 갔으면 이상 증상의 원인과 진단이 바로 나왔을 것인데, 단순하게 말이 트이지 않는다고 해서 이비인후과로 갔으니, 원인과 진단이 나오지 않았나 명순씨의 그런 생각이 이제서야 드는 것 같다. 그리고 1989년의 의학기술과 2023년의 의학기술이 확연히 차이가 많이 나는 것이다. 1989년 당시의 의사분이 정선씨의 이상증상의 원인을 찾을 수가 없었다. 그때부터 우리 엄마 명순씨와 정선씨는 길고 긴 병원투어가 시작이 되었다. 다시 말하자면 행복의 끝 고생의 시작!

그리고 우리 엄마 명순씨는 정선씨의 어마어마한 병원비와 재활치료비를 감당하기 위해 마트 경영을 하면서 수입이 되는 음료 배달, 신문배달, 연탄 배달, 채소 장사, 쌀 장사, 정육점 등 뭐든 다 해야 했다. 지금은 각종 복지혜택이 있지만, 1989년도 당시에는 나라 경제 상 복지 혜택이 많이 없었다.

그래서 명순씨가 고생을 많이 했던 것이다. 어린 정선씨를 업고 1호선과 4호선 그리고 2호선 전철을 타고 서울로 병원을 다니면서 해보지 않은 잡다한 일이 없을 정도의 일을 하시는 것이 보통 일이 아니다.

명순씨가 정말 대단한 사람인 것처럼 보였다. 정선씨가 사춘기가 접어들기 전까지 말이다. 정선씨가 사춘기가 접어 들었을 무렵 명순씨는 갑상선 질환이라는 앓게 되면서 마트 경영을 접으셨다. 그래서 지금은 월급쟁이 직장인으로 현재까지 정년퇴직을 하시지 않고 일을 하신다.

그리고 명순씨는 초등학교 6학년인 정선씨에게 뜻 밖의 신문물을
접하게 해주었다. 명순씨의 이야기로는 정선씨가 언어가 되지 않으
니, 컴퓨터라도 가르치는 게 나을 것 같다고 하셨다. 당시에 장애아동
이 접하기 힘든 전자기기 말이다. 그래서 초등학교 6학년 때에는 학교
방과 후 활동으로 처음 접하게 되었다. 방과 후 선생님은 명순씨와 동
년배이시면서 정선씨의 초등학교, 중학교 남학생 동기의 어머니였다.

방과 후 활동으로 인연이 된 선생님은 정선씨의 컴퓨터 스승님 같은
존재였다. 그리고 중학교 1학년일 때 본격적으로 컴퓨터 학원에 등록
을 했다. 장애학생이 컴퓨터를 접한다는 것은 보통 쉬운 일이 아니었
는데, 정선씨만큼은 정말 대단하였었던 것이다.

남들은 1시간 동안 실습을 해서 지루해가는데, 정선씨는 2시간 동
안 실습을 하는데 지루하지 않았다. 쉽게 말하자면 이 부분에 대해서
는 남들 보다 집중력이 좋았던 것 같았다. 남들은 진도를 한 두 장씩
나간다면 정선씨는 두 챕터씩 팍팍 나갈 정도로 말이다. 선생님은 그
런 정선씨의 가능성을 알아보셨다.

그래서 선생님은 정선씨에게 자격증 취득을 권유하셨다. 지금은 폐
지되었지만 그 당시에 있었던 워드프로세서 3급 자격증 취득부터 말
이다. 그 당시에는 장애학생이 컴퓨터 자격증 취득에 도전한다는 것은
세상의 놀랄 노자인 셈이다. 그 당시 시험 감독관님께서 정선씨를 보
시더니 이런 생각을 가졌을 것 같았다.

'장애학생이 처음으로 시험을 보러 왔는데, 잘 할 수 있을까?' 라는

편견이 섞인 생각을 가진 것 같았다. 시험 감독관님의 얼굴 표정이 편견과 같은 표정이란 의심이 갔다. 그래서 정선씨는 실력으로 시험감독관님의 그런 편견을 싹 없애 버렸다. 필기시험이며 실기시험 모두 당당하게 합격을 했기 때문이다. 그 당시에는 장애인 정보화 보급이 되어 있지 않던 시기였고, 시험 감독관님은 처음 접한 장애인이 정선씨였다. 그렇기에 정선씨는 장애인 최초로 그 길을 열었던 게 아니었을까?

과거 장애인복지법에는 없었지만 2023년에 시행된 현행 장애인복지법 제46조의 2 (장애인 응시자에 대한 편의제공) 1. 국가, 지방자치단체 및 대통령령으로 정하는 기관, 단체의 장은 해당 기관, 단체가 실시하는 자격시험 및 채용시험 등에 있어서 장애인 응시자가 비장애인 응시자와 동등한 조건에서 시험을 치를 수 있도록 편의를 제공하여야 한다.

2. 제1항에 따른 편의제공 대상 시험의 범위는 대통령령으로 정하고, 편의제공의 내용, 기준, 방법 등에 필요한 사항은 보건복지부령으로 정한다.

라는 조항이 생겨났다. 그렇기에 모든 장애 유형의 장애인들은 여러 분야의 자격증 시험을 볼 수 있는 기회가 생긴 것이다.

그렇지만 명순씨는 아마 이 조항이 생기는 걸 아셨는지 모르셨는지 먼 미래를 미리 봐 두었던 것 같았다. 그리고 그 뒤에도 여러 IT 자격증을 취득을 하고, 2002년 6월달쯤 16살에 중학교 3학년 시절에 장애등록을 하게 되었는데, 명순씨가 정선씨의 장애유형을 발달장애가 아닌 단순 언어문제로만 생각 했는지 그만 언어장애로 장애 진단을 신청했다. 왜냐하면 정확한 원인과 진단을 알 수가 없어서 선택을 그렇게 했던 것이 아닐까 싶다. 발달장애는 신체 발달 전반에 지장을 주는 것으로 사전적 의미가 있지만, 장애인복지법에 의한 발달장애는 지적장애와 자폐성장애가 있다고 나오기 때문이다.

그렇기에 일반 사람들이 판단하기에 혼동이 올 수밖에 없다. 그리고 언어장애는 어려서도 오지만 대부분 뒤늦게 뇌졸중으로 인한 뇌병변 장애로 생기기도 하기 때문에 장애 진단을 받으려면 신중해야 한다는 것을 명순씨는 몰랐다. 2003년도에 고등학교 입학을 앞두고 여러 고민을 했을 명순씨는 정선씨를 특수학급으로 입학을 해서 보호를 받을 수 있을까? 없을까? 고민을 하고, 하고 또 하셨다.

그렇지만 정선씨는 정작 고등학교 3년 내내 일반학급에 있었을 뿐 특수학급에 있어 본 적은 거의 없다. 왜냐하면 취업 보다는 대학 진학을 위해서 말이다. 특수학급에는 대부분 지적장애 학생들이 대부분이다. 그렇지만 정선씨는 등록된 장애 유형이 언어장애로 되어있던 지라 특수학급보다는 일반학급에 있을 수밖에 없었다. 일반학급 친구들은 장애학생을 처음 접해 본지라 편견도 생각도 제각각이었다. 하긴 그 당시에는 장애인 인식 개선 교육도 없었던 때이긴 하지만 말이다. 그래서 정선씨는 일반학급에서 일반 학생들 사이에서 주눅이 많이 들게 되었다.

그리고 2005년도에 대학 전공과를 컴퓨터게임개발과로 정했다. 앞으로의 미래를 위해서 말이다. 일반 학생과 장애 학생이 어우러진 교육환경이 마음에 드는 것 같았다. 그래서 통합대학으로 입학 원서를 내고 면접을 보고 합격을 했다. 정선씨의 잠재능력을 일깨워 준 컴퓨터 학원 선생님께 정말 감사한 일이다. 그리고 2006년도에 대학 입학을 하고 첫 학기에는 친구들을 사귀기에는 너무 어색했다. 왜냐하면 당시 학교 학과 환경과 학과친구들의 성격 때문이 아니었을까 싶다. 정선씨는 2008년 2월에 대학을 졸업하고 곧장 취업전선에 끼어들었다.

왜냐하면 그 동안 수고가 많았던 명순씨의 짐을 덜어주기 위해서이다. 그렇지만 취업 정보 루트를 알지 못했다. 2008년 당시에는 지역에 장애인 복지관이 없었고, 어떤 루트를 통해서 취업을 해야 할지 몰라서 사회복지 공무원을 통해서 취업을 해야 했고 나중에 한국장애인고용공단이라는 기관을 통해서 취업정보를 알게 되었다.

그 기관은 민간 일반 기업을 대상으로 모든 장애유형의 장애인분들을 위해 일자리를 찾아 주는 기관이다. 한국장애인고용공단은 장애인고용법 제43조(한국장애인고용공단의 설립) 1. 장애인이 직업생활을 통하여 자립할 수 있도록 지연하고, 사업주의 장애인 고용을 전문적으로 지원하기 위하여 한국장애인고용공단(이하 "공단"이라 한다)을 설립한다. 라는 법령에 의해 설립이 되었다. 그곳에서 알려주는 일자리는 무수히 많다. 아니 그럴 수밖에 없다. 왜냐하면 장애인을 처음 접하는 민간 일반 기업을 대상으로 알려주기 때문이다.

장애인 표준사업상이 있는 기업은 그리 많지 않다. 그렇기에 장애인 고용공단 측은 일반 민간 기업을 알선해 줄 수밖에 없는 현실이기에 공단 소속 직업상담사분들은 장애인 분들의 자립을 위한 취업을 위해 직접 발로 뛰신다. 2018년도에 장애인 직업재활법 제5조의 2(직장 내 장애인 인식개선 교육) 1. 사업주는 장애인에 대한 직장 내 편견을 제거함으로써 장애인 근로자의 안정적인 근무여건을 조성하고 장애인 근로자 채용이 확대될 수 있도록 장애인 인식개선 교육(이하"장애인 인식개선교육"이라 한다.)을 실시하여야 한다.

2. 사업주 및 근로자는 장애인 인식개선 교육을 받아야 한다.

3. 사업주는 직장 내 장애인 인식개선 교육 실시 관련 자료를 3년간 보관하여야 한다. 이 경우 교육 실시 관련 자료는 [전자문서 및 전자거래 기본법] 제2조 제1호에 따른 전자문서로 작성, 보존할 수 있다.

4. 사업의 규모나 특성을 고려하여 대통령령으로 정하는 사업주가 자체적으로 장애인 인식개선 교육을 실시하는 경우에는 고용노동부령으로 정하는 강사의 자격기준을 갖춘 사람이 실시하여야 한다.

5. 고용노동부장관은 장애인 인식개선 교육 실시 결과에 대한 점검을 할 수 있다.

6. 고용노동부장관은 제5항에 따른 점검을 위하여 상시 50명 이상의 근로자를 고용하는 사업주에게 고용노동부령으로 정하는 바에 따라 장애인 인식개선 교육 실시 결과를 제출하도록 명할 수 있다.

7. 고용노동부장관은 장애인 인식개선 교육이 원활하게 이루어지도록 교육교재 등을 개발하여 보급하여야 한다.

8. 장애인 인식개선 교육의 내용, 방법 및 횟수 등은 대통령령으로 정한다. 라는 조항 의한 직장내 장애인 인식개선교육이 법정의무교육

으로 지정되었다. 이 교육은 모든 기업의 사업주는 물론 직원들까지도 연 1회 의무적으로 들어야 하는 교육이다. 그렇지만 정선씨는 대학 1학년 2학기 때 교양과목으로 1주에 1번 2시간씩 16주동안 지겹도록 들었던 기억이 있다.

그렇지만 이 교육을 듣지 않는 기업들이 너무 많다 보니 장애인들이 자립을 하기 위해 취업전선에 뛰어들기가 어렵다. 가뜩이나 젊은 사람의 비중이 높은 발달장애인(지적장애, 자폐성장애)이라면 말이다.

그래도 1989년도 보다 지금 현재가 많이 좋아졌다고는 하지만, 정선씨가 현재 체감하고 있는 대한민국의 현실은 아직도 멀었다고 생각을 한다.

그리고 장애인들은 지금 현재도 취업에 열심히 도전을 한다. 장애인들은 취직과 퇴직을 일반 사람들에 비해 너무 반복이 되고 있다. 그렇다 보니 정부에서도 많이 고민을 하는 현실이다.

2022년 6월 드디어 꿈에 그리던 대기업에 입사를 하기위해 공단 쪽에 이력서와 자기소개서를 제출했다. 요즘 세대들은 모르지만 옛날 명순씨의 세대라면 다 아는 대기업이다. 그만큼 옛날 대기업이다. 그렇지만 한 번쯤 도전해 볼만 했다. 사내 복지와 월급만큼은 좋았다. 명순씨만 믿고 이력서와 자기소개서를 제출을 했다.

그 기업의 채용담당자한테 서 전화가 왔다. "입사서류 제출한 것이 맞나"고 말이다. 그랬더니 맞다고 했다. 서류전형 합격했으니 면접일정 네일로 보내 준다고 그랬다. 그래서 면접 준비를 하고 면접 날짜에 면접을 보았다. 합격 여부는 빠른 시일 내로 연락을 준다고 했다.

정말 빠른 시일내로 합격 통보연락이 왔다. 그리고 채용 건강검진을 받았다. 그것도 입사 이틀 전에 말이다. 그 기업의 사내 복지와 월급만큼은 꽤 괜찮았다. 그렇지만, 일하는 직원들은 정선씨가 보았을 적에는 썩 좋아 보이지가 않았다. 왜냐하면 직원들의 장애에 대한 편견 때문이다. 그리고 팀 간의 협업과 소통도 잘 되지도 않은데 해야 할 업무도 산더미처럼 쌓아 두고 업무를 한다. 그렇지만 정선씨는 해야 할 업무가 많지 않았다. 그러니 일하는 날과 시간보다 쉬는 날과 시간이 많을 수밖에 없었다. 그리고 2023년 6월 마지막 주 수요일… 갑작스러운 통보가 날라왔다. 이런 갑작스러운 해고통보가 날아온 것은 처음이었다. 그것도 해고 통보… 어떻게 된 게 이 기업은 장애인의무고용도 지키지 않나 싶다.

하긴 기업들 마다 선호하는 장애유형이 있기는 하지만, 이건 심해도 너무 심했다 싶었다. 이 기업이 선호하는 장애유형은 건강장애. 즉 40~50대 성인이 대부분인 장애 유형이다. 그래서 집에서 이불에 얼굴을 묻고 서럽게 펑펑 울어야 했다. 믿는 도끼에 발등 찍힌다는 말이 이런 상황에서 나왔나 싶었다. 그리고 두 번 다시 대기업은 쳐다보기도 싫어졌다. 언제 또 뒤통수를 맞을지 모르니까 말이다.

장애인 의무고용도 법안에 아주 확실하게 나와있다. 장애인고용법 제28조(사업주의 장애인 고용 의무) 1. 상시 50명 이상의 근로자를 고용하는 사업주(건설업에서 근로자 수를 확인하기 곤란한 경우에는 공사 실적액이 고용노동부장관이 정하여 고시하는 금액 이상인 사업주)는 그 근로자의 총수(건설업에서 근로자 수를 확인하기 곤란한 경우에는 대통령령으로 정하는 바에 따라 공사 실적액을 근로자의 총수로 환산한다.)의 100분의 5의 범위에서 대통령령으로 정하는 비율(이하 "의무고용률"이라 한다) 이상에 해당(그 수에서 소수점 이하는 버린다)하는 장애인을 고용하여야 한다.

2. 제1항에도 불구하고 특정한 장애인의 능력에 적합하다고 인정되는 직종에 대하여는 장애인을 고용하여야 할 비율을 대통령령으로 따로 정할 수 있다. 이 경우 그 비율은 의무고용률로 보지 아니한다.

3. 의무고용률은 전체 인구 중 장애인의 비율, 전체 근로자 총수에 대한 장애인 근로자의 비율, 장애인 실업자 수 등을 고려하여 5년마다 정한다.

4. 제1항에 따른 상시 고용하는 근로자 수 및 건설업에서의 공사 실적액 산정에 필요한 사항은 대통령령으로 정한다.

라는 법정 조항이다. 그렇기에 모든 사업장에서는 장애인 의무 고용률을 꼭 지켜야 한다

표준 사업장이 있는 기업은 지적장애인과 자폐성장애인을 가장 선호하지만 표준사업장이 없는 기업은 신체장애인(지체, 뇌병변)이나 건강장애인(간, 신장, 심장, 호흡기), 그리고 감각장애인(시각 장애, 청각장애)을 가장 선호하는 편이다.

그리고 정신장애인은 근무 중에 혹시 모를 사고가 벌어질지 모르기에 모든 사업장에서는 반기지 않는 편이 많다. 정신장애인도 약을 잘 복용하면 일할 능력이 있다. 다만 직원들이 이들을 어떻게 대해야 하는지 모를 뿐이다. 그렇기에 직장 내 장애인 인식 개선 교육을 꼭 들어

야 한다.

그리고 정선씨는 또 다시 재기의 발판을 놓기 위해 다시 취업 전선에 뛰어 들었다. 이번에는 정부일자리. 정선씨가 일을 하려면 이 일자리 말고는 없었다. 이 일자리는 국민들의 세금으로 예산을 짠다. 그렇지만 혜택을 보는 사람들은 지원하는 사람들 보다 많지 않다. 그렇기에 다른 사람들도 혜택을 보기 위해서는 1년 내지 2년을 쉬어 주어야한다. 그렇기에 명순씨는 정부 일자리보다 민간 일반 일자리를 더 선호한다. 믿는 도끼에 한 번 더 찍혀 봐야 이해할 수 있을까?

정선씨는 1989년에 처음 병원에 다니고 세월이 흐른 2023년, 현재의 병원 의사분은 정선씨의 이상 증상을 한 번에 알아채신 것 같다. 정선씨의 진단명은 자폐 스펙트럼 장애. 그 중에 아스퍼거 증후군이라는 진단명이 성인이 되어서야 나왔다. 자폐 스펙트럼장애는 지적장애와는 달리 똑같은 자폐이지만 병명이 다양하다. 그렇기에 딱 한가지만 짚어 봐서도 안 된다. 자폐 스펙트럼장애는 아스퍼거 증후군과 서번트 증후군, 레트 증후군, 자폐증 등 정말 다양하기 때문에 자폐라는 딱 한가지만 짚어서도 안 된다.

그런데 이 중 반 이상은 지적장애를 동반한 경우도 있다. 자폐증도 자폐 스펙트럼 장애 중에 하나다. 그렇기에 사람들이 혼동이 많이 가는 수밖에 없다. 정선씨가 갖고 있는 아스퍼거 증후군은 자폐 중에서도 그나마 사회생활과 인간 관계 맺기가 가능한 자폐 증후군이다. 다만, 동반질환이 있다. 뇌전증이나 스트레스, 우울, 불안 등 정신적인 증상이 동반된다. 그렇기에 아스퍼거 증후군의 자폐군은 어떠한 사소한 일에도 사소한 스트레스에도 민감할 수밖에 없다.

그렇지만 일반 사람들은 자폐 스펙트럼장애의 특성을 잘 알지 못해서 편견이 생긴다. 자폐 스펙트럼장애는 지적장애와는 달리 의사소통 능력과 사회성이 부족한 것뿐이다. 그리고 이들이 지역사회에 적응할 수 있도록 AAC(보완대체의사소통)도구가 보급 중에 있다. 다만 정선 씨는 대한민국 지역사회에 너무 빨리 적응한 경우에 속한다. 직장 생활을 너무 일찍 시작한 경우라고 해야 할까 싶다.

앞으로 20년, 30년 후에는 우리 대한민국 사회는 어떻게 변하게 될까? 모든 장애 아동들이 성인이 되는 시기에 편견과 차별이 없어지는 걸까? 그리고 민간 일반 기업들은 그때까지도 엄청난 업무량과 엄청난 인력 난에 잘 견디고 있을까? 아마 이 부분에 대해서는 물 보듯 뻔한 현상 아닐까 싶다. 그것도 일본의 사례에서 일을 할 사람이 없어 다시 퇴직한 근로자를 다시 채용을 해야 했다. 그래도 우리는 20년이 늦다. 그렇기에 빠른 대처가 필요하다. 아마 그때가 되어서야 우리 장애인들에게 손을 벌릴지. 아니면 이미 정년 퇴직한 직원을 다시 채용할 게 뻔하다.

장애인 고용촉진 및 직업재활법(약칭: 장애인고용법) 제5조(사업주의 책임)의 조항을 따르면, 첫째, 사업주는 장애인의 고용에 관한 정부의 시책에 협조하여야 하고, 장애인이 가진 능력을 정당하게 평가하여 고용의 기회를 제공함과 동시에 적정한 고용관리를 할 의무를 가진다.

둘째, 사업주는 근로자가 장애인이라는 이유로 채용, 승진, 전보 및 교육훈련 등 인사관리상의 차별대우를 하여서는 아니된다고 명시되어 있다.

그렇지만 대부분 기업 사업주들은 이 조항을 잘 지켜지지 않고 있다. 장애인들도 일할 능력이 있다. 다만 비장애인보다 업무 적응 속도가 약간 다를 뿐이다.

장애인차별금지법안에도 정확하게 명시되어 있다. 장애인차별금지법안에도 두번째 조항이 있다. 그렇지만 한가지 더 추가를 하자면 [노동조합 및 노동관계조정법] 제2조제4호에 따른 노동조합은 장애인 근로자의 조합 가입을 거부하거나 조합의 권리 및 활동에 차별을 두어서는 아니된다. 고 명시 되어있다. 그렇기에 일반 민간 사업장에서는 장애인 근로자를 한번 채용하면 장애인 근로자가 정년퇴직 할 때까지 고용유지를 해야 한다는 걸 명심해야 한다.

그리고 얼마 전에는 지역구 국회의원님의 의정보고가 있었다. 그분은 정말 대단한 분이신 것 같았다. 그리고 마지막에 질의 시간이 있었는데, 어떤 분이 교통약자 콜택시 이용 문제에 관한 질문을 하셨다. 그 분의 사연을 들어보니 쌍둥이 자녀들이 휠체어 사용 장애인이면서 교통약자 콜택시 이용자인데, 학교나 어느 지역을 가려면 교통약자 콜택시가 꼭 필요하다.

그런데 문제는 각 지역마다 운영하던 콜택시가 광역으로 운영을 하다보니, 시스템 상 많은 어려움이 있었다고 하니, 휠체어 사용 장애 자녀를 돌보시는 부모님은 정말 불편하고 답답하다고 하셨다. 다른 주민분들은 이 사연에 안타까워하셨지만, 장애유형은 다르지만 같은 장애인인 정선씨의 입장에서 볼 때는 정말 우리 대한민국의 사회적인 문제가 많다고 생각이 들었다.

앞으로 대한민국의 모든 유형의 장애아동들이 성인이 되었을 때에는 더 좋은 세상이 왔으면 좋겠다.

그리고 관련 법안 출처는 법제처 국가법령정보센터에서 관련 법안을 발췌했다.

모든 장애유형의 장애인분들과
모든 장애아동을 돌보시는 부모님들께

1980년대보다 1990년대의 대한민국이 좋아졌던 것처럼 2023년 현재도 1990년도에 비해 많이 좋아졌다고 체감합니다만, 아직 우리 대한민국은 앞으로 나아가야 할 상황이 많습니다. 장애인은 해마다 수없이 많이 생겨나는데, 정작 우리 대한민국 복지 사회는 복지 선진국에 비하면 아직 가야 할 길이 멀다는 생각이 듭니다.

저소득층 지원은 물론, 장애인의 자립을 위한 민간 일자리 취업 등 많은 어려움이 있는 것은 사실입니다. 아직까지 한국의 기업들이 선호하는 장애유형이 전부 다 다릅니다.

하지만 한국 기업이 앞으로 지속 가능 하려면 모든 장애유형의 장애인들을 채용을 할 수밖에 없을 겁니다. 앞으로도 사람들의 삶의 질을 높이기 위해 장애유형이 추가될 것이기 때문입니다. 그렇기 때문에 장애인고용촉진 및 직업재활법(약칭: 장애인고용법) 제5조의 2에 의한 법정 의무 교육인 직장 내 장애인인식개선교육이 연 1회가 아닌 분기별로 이루어져야 한다고 생각합니다. 아직도 몇몇 기업들은 업무가 바쁘다는 이유로 이 교육을 받지 않고 있는 실정입니다.

그리고 그나마 젊은 사람에 속하는 지적장애인과 자폐 스펙트럼장애인의 비중이 다른 장애유형의 장애인보다 많습니다만, 최대한 빨리 장애인들의 능력을 보는 세상이 빨리 오기를 저도 바라고 있습니다.

그리고 마지막으로 모든 장애유형의 장애아동을 돌보시는 부모님

분들께 응원 한마디하고 싶습니다. 저희 모녀도 과거에 겪었던 것처럼 많이 힘드셨을 거라 생각이 듭니다. 그래도 아이들이 성인이 되는 그 날까지 끝까지 포기 하시지 마시고 힘내셨으면 합니다. 언젠가 우리 장애 아동들이 잘 성장해서 성인이 되었을 때 정말 좋은 대한민국의 세상이 찾아오기를 바라봅니다. 힘내세요!

글쓴이 올림

그래도 우리는 빛난다

발행 2024년 3월 5일

지은이 이지연, 김민정, 김도빈, 주정선

라이팅리더 양기연

디자인 윤소정

펴낸이 정원우

펴낸곳 글ego

출판등록 2019.06.21 (제2019-000227호)

주소 서울시 강남구 강남대로 118길 24 3층

이메일 writing4ego@gmail.com

홈페이지 http://egowriting.com

인스타그램 @egowriting

ISBN 979-11-6666-457-1